KB036143

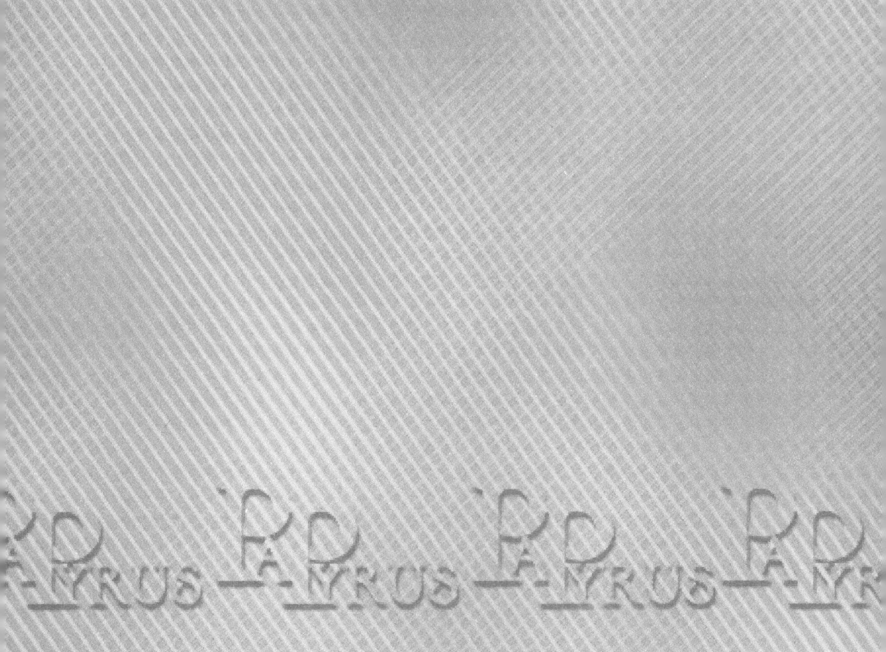
PAPYRUS

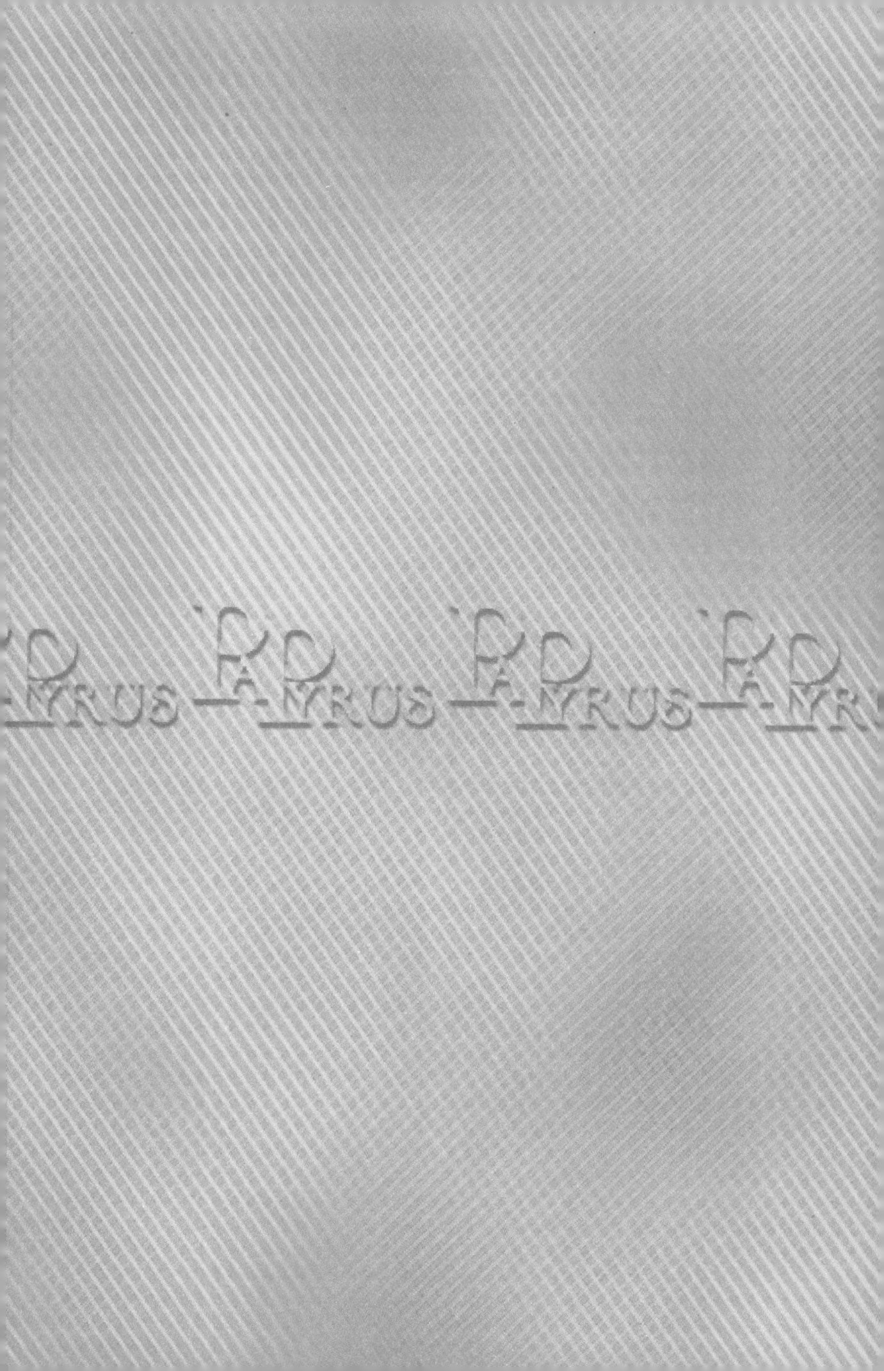
PAPYRUS
PAPYRUS

武林五賊
무림오적

무림오적 36

초판 1쇄 발행 2021년 11월 26일

지은이 | 백야
발행인 | 신현호
편집장 | 이호준
편집부 | 송영규 최종건 정재웅 양동훈 곽원호 조정범 강준석 최성화
편집디자인 | 한방울
영업 · 관리 | 김민원 조인희

펴낸곳 | ㈜디앤씨미디어
등록 | 2002년 4월 25일 제20-260호
주소 | 서울시 구로구 디지털로 26길 111 JnK디지털타워 503호
전화 | 02-333-2513(대표)
팩시밀리 | 02-333-2514
E-mail | papy_dnc@dncmedia.co.kr
블로그 | blog.naver.com/gnpdl7

값 8,000원

ISBN 978-89-267-1884-1 04810
ISBN 978-89-267-3458-2 (SET)

백야 신무협 장편소설
PAPYRUS ORIENTAL FANTASY
36
무림오적
武林五賊
PaPyrus
파피루스

1장.

숙적(宿敵)

"그래서 우리의 아내들과 화평장의 무사들까지 모두 함께
악양부로 달려가야 하는 게다. 금해가를 괴멸시키기 위해서라도 말이지."
"아니, 굳이 그럴 필요까지는 없을……."
"그럼 식솔들과 아이들이 남겠지?
우리가 없는 동안 누군가 그들을 보호해 줘야 하는데……
그렇다고 십삼매나 허 노야에게 아이들을 맡기면 곧 인질이 될 테고."

1. 도둑이 제 발 저리는 법

이제 성도부는 완연한 봄 날씨였다.

해를 보면 개가 놀라서 짖는다는 소리가 있을 정도로 사천 지방의 날씨는 늘 안개와 구름으로 우중충했다.

하지만 이 사월만큼은 대륙의 그 어느 지방에도 뒤지지 않을 정도로 화창하고 맑은 날씨가 이어졌다.

물론 그 맑은 하늘을 볼 수 있는 것도 한 달에 보름 정도밖에 되지 않지만, 그래도 사천 사람들은 오래간만의 청명한 하늘을 보며 즐거워했다.

사월 초.

평량현의 왕대인에게 야명주 두 알을 팔고, 다시 공동

파에 들러서 한때 자신의 정혼자였던 위군옥과 해후했던 설벽린이 화평장으로 돌아왔다.

화평장으로 향하는 버드나무길은 언제나처럼 평온하고 고즈넉해서, 마치 다른 세상에라도 온 것만 같았다.

마침 위정천 본청에서 가벼운 점심 식사를 하고 있던 강만리와 정유, 아란과 고굉, 그리고 각 장주의 부인들이 연락 없이 돌아온 설벽린을 보고 깜짝 놀라며 반겼다.

"아휴, 연락이라도 주시고 오지 그랬어요? 이리로 앉으세요. 식사는 하셨어요?"

예예가 활짝 웃으며 살뜰하게 그를 맞이했다. 설벽린은 그녀가 내준 자리에 앉으며 말했다.

"한시라도 빨리 돌아오려다 보니 연락조차 하지 못했습니다. 당연히 오늘 하루 종일 아무것도 먹지 못했고요."

아란이 입을 삐죽이며 소리 죽여 말했다.

"하여튼 저 공치사란……."

설벽린은 미처 그녀의 비아냥거림을 듣지 못한 듯 쾌활한 표정을 지으며 품에서 전표를 꺼내 강만리에게 건넸다.

강만리는 받아 든 전표를 내려다보고는 눈이 휘둥그레졌다.

"이백만 냥?"

일순 아란을 비롯한 모든 이들이 깜짝 놀라 설벽린을 돌아보았다.

설벽린은 어깨를 으쓱거리며 말했다.

"워낙 급하게 팔려다 보니 그 정도밖에 받지 못했습니다. 조금 시일을 넉넉하게 주셨다면 삼백만 냥 이상 챙길 수 있었을 겁니다."

"아니, 이 정도도 충분하다."

강만리는 전표를 품에 넣으며 설벽린을 향해 말했다.

"고생했다."

짧은 말 한 마디.

하지만 설벽린은 그 한 마디에 근 한 달간의 고생과 피로가 싹 달아나는 듯한 기분이 들었다.

"어서 드세요."

마침 예예가 설벽린을 위해 직접 가지고 온 음식을 탁자 위에 놓으며 말했다.

"고맙습니다."

설벽린은 나이 어린 형수를 향해 고개를 숙이고는 허겁지겁 국과 만두를 먹기 시작했다. 그 모습을 보자니 아닌 게 아니라 확실히 몇 끼는 굶은 듯했다.

아란은 가만히 그 모습을 지켜보다가 또다시 입을 삐죽이며 말했다.

"그렇게 돈도 많이 벌었으면서 굶고 다니는 건 뭐람?"

설벽린은 이번에도 그녀의 중얼거림을 듣지 못한 듯 연신 고개를 끄덕이며 감탄했다.

"이야! 역시 우리 집 우육면 맛은 최고입니다. 어디를 가도 이런 우육면은 맛볼 수가 없다니까요."

예예가 방긋 웃으며 대답했다.

"태원부 쪽에 가면 원조 우육면집이 있어요. 거기에서 배운 거거든요. 아, 설 도련님도 어쩌면 아시겠네."

예예는 황계의 태원지부주인 석남동이 운영하는 조그맣고 허름하며 더러운 주루에 대해서 설명했다.

설벽린은 한때 태원 일대의 뒷골목을 주름잡던 흑방이었던 주도방(廚刀幫)의 방주였고, 당연히 석남동의 주루에 대해서 잘 알고 있었다.

"아, 거기 중년 대머리가 운영하는 곳이죠? 몇 번 가보기는 했지만 주루가 하도 지저분하고 더러워서 먹어보지는 않았거든요."

"실수를 하셨네요."

자신 또한 지저분하고 더러운 환경에 좀처럼 먹을 생각을 하지 못했던 예예가 자랑스레 말했다.

"눈감고 드셔 보셨어야 해요. 그러면 제가 끓인 이 우육면이 얼마나 형편없는지 아셨을 테니까요."

"아뇨."

설벽린은 고개를 저으며 단호하게 말했다.

"설령 그 대머리가 만든 우육면을 먹었다고 해도 제게 있어서는 형수가 끓여 준 이 우육면이 세상 최고의 우육면일 겁니다. 장담하겠습니다."

"아휴, 정말 말씀을 잘하신다니까. 그럼 마음껏 드세요. 주방에 얼마든지 있으니까."

예예는 웃으며 자리에 앉았다.

설벽린은 다시 계속해서 우육면을 먹고 만두를 찢어 그 국물에 푹 담갔다가 먹으면서 연신 감탄했다.

안 그래도 떠들썩한 분위기의 식사 자리였지만 설벽린이 가세하자 더욱 왁자지껄 시끄러운 자리로 바뀌었다.

이윽고 모든 이가 식사를 끝냈다. 상이 물리고 다과(茶果)가 차려졌다. 사람들은 느긋한 표정을 지으며 차를 마시고 말린 과일과 과자를 집어 먹었다.

설벽린은 그간 있었던 일들에 대해서 이야기했다.

평량현 왕대인에게 야명주 두 알을 판 것부터 시작하여 공동파에서 일어났던 일들까지, 월령선자 위군옥에 관한 부분만 빼고는 모든 이야기를 사실대로 설명했다.

사람들은 공동파 장문인과 두 명의 장로가 소야 위천옥에게 살해당했다는 이야기에 깜짝 놀랐다. 그들은 얼마나 놀랐는지 그저 입만 뻥긋거릴 뿐 아무 말도 하지 못했다.

"믿을 수 없군."

강만리가 고개를 설레설레 흔들며 입을 열었다.

"장문인과 장로들이 죽어 나가는데 다른 자들이 수수방관하다니, 공동파가 그렇게까지 몰락한 건가?"

"장문인의 유언이 있었답니다. 절대로 위천옥에게 복수를 할 생각을 하지 말라고, 그를 고이 보내 주라고 말입니다. 그리고 이십 년간 봉문하라고 말이죠."

"흠, 공동파 제자들의 속에서 열불이 났겠군."

"그래서 제게 그런 제안을 한 겁니다. 위천옥을 죽여 줄 살수를 찾아 달라고 말이죠."

"공동파 장문인을 일격에 해치웠다면서? 아무리 살수 조직이 많다고는 하지만, 그런 절대고수를 죽일 만한 살수를 쉽게 찾을 수 있을까? 거의 천하무적의 고수 정도가 되어야 할 텐데."

고굉이 끼어들었다.

"그야 살수 조직에 한정하면 그렇겠죠."

설벽린은 쓴웃음을 흘리며 말했다.

"하지만 보다 가까운 곳에 확실히 그럴 능력을 가진 사람들이 있잖습니까?"

고굉은 의아한 표정으로 설벽린을 바라보다가 다시 강만리를 돌아보며 눈을 동그랗게 떴다.

"설마 강 형님이요?"

강만리도 쓴웃음을 흘리며 말했다.

"됐다. 내가 무슨……."

"그러니까요. 아무리 제가 강 형님을 높게 보고는 있지만 천하무적과는 확실히 거리가 있으니까요."

"너, 아호에게 얻어맞은 게 좀 나아졌나 보다? 그렇게 조잘조잘 입을 놀리는 걸 보니."

"아이고, 형님!"

고광이 자리에서 벌떡 일어났다.

"왜 또 그 이야기는 끄집어내시는 겁니까? 됐습니다! 저는 돌아가서 아호에게 한 수 배우겠습니다."

고광은 누가 잡기도 전에 자리를 박차고 빠르게 퇴장했다.

사람들이 킥킥 웃음을 참는 와중에 예예가 강만리를 향해 눈을 흘기며 말했다.

"정말 못됐어요, 당신."

강만리는 살짝 머쓱한 표정을 지으며 하소연하듯 말했다.

"녀석이 먼저 날 슬슬 긁었잖아?"

"그래도 당신이 너무한 거라고요."

설벽린은 영문을 모르겠다는 표정을 지은 채 그들의 대화를 듣다가 불쑥 물었다.

"고 형님이 아호에게 얻어맞았습니까?"

"아, 넌 그때 장원에 없었지?"

강만리는 어깨를 으쓱거리며 말했다.

"나중에 다른 사람들에게 듣도록 해. 네가 없는 동안 이곳 장원에서도 꽤 여러 가지 일들이 일어났었으니까. 그건 그렇고…… 네가 굳이 공동파의 부탁을 들어준 이유가 궁금한데?"

"네? 그, 그건 돈을 받는다고 하지 않았습니까?"

설벽린이 허둥대자, 강만리의 좁쌀만 한 눈동자가 예리하게 그의 얼굴을 훑었다.

설벽린은 어색하게 웃으며 황급히 말을 이었다.

"은자 백만 냥이라니까요. 아, 물론 피독주까지 함께 팔기는 했지만, 그래도 은자 백만 냥이 어디입니까? 그래서 공동파의 제안을 받아들인 것뿐입니다. 따로 무슨 청탁을 받은 것도 없고요."

"청탁?"

"네, 그 어떤 청탁도 받은 적이 없습니다."

"흐흠. 수상한걸?"

강만리는 가뜩이나 자그마한 눈을 가느스름하게 뜨며 설벽린을 바라보았다.

"단지 공동파의 부탁을 받아 준 이유가 궁금하다고 물었을 뿐인데 네 입으로 청탁이라는 말이 나오다니, 이거 혹시 도둑이 제 발 저리는 형국이 아닐까 싶은데."

"그럴 리가요!"

설벽린은 두 손을 마구 내저으며 말했다.

"그런 거 전혀 없습니다. 제가 어디 금품이니 뭐니 하는 걸로 마음 흔들릴 사람입니까?"

"그럼 금품은 아니겠고……."

"아니, 다른 것도 아니라니까요."

"벽린 네가 흔들릴 만한 거라면 역시 여자?"

"네? 아닙니다. 아니라고요. 여자는 무슨……."

설벽린은 그렇게 부인하면서 저도 모르게 힐끗 아란을 돌아보았다. 자신을 바라보는 그녀의 눈빛이 싸늘하고 냉랭하다는 걸 느낀 설벽린은 재차 억울하다는 표정을 지으며 하소연했다.

"믿어 주십시오. 정말 아무것도 없습니다. 그저 공동파 사람들이 하도 간곡하고 절절하게 부탁했기 때문입니다."

"그래?"

강만리는 잠시 그를 바라보다가 고개를 끄덕이며 말했다.

"그래, 믿지. 자네가 그리 말하는데 믿지 않으면 안 되겠지. 그럼 그 공동파의 부탁 건은 어떻게 해결할 생각이야? 설마 담 형님께 부탁드릴 생각은 아니겠지?"

"왜 아니겠습니까?"

설벽린은 애매하게 웃으며 말했다.

"위천옥, 그 애송이를 상대할 수 있는 사람이 담 형님 말고 또 누가 있겠다고요."

강만리는 한숨을 내쉬었다.

"그래, 네가 그리 말할 줄 알았다. 처음부터 담 형님을 염두에 두고 공동파의 부탁을 받아들였을 테니까."

강만리가 그렇게 고개를 흔들며 중얼거릴 때였다. 대청 밖에서 양위의 목소리가 들려왔다.

"양위입니다. 들어가도 되겠습니까?"

"들어오시오."

강만리의 대답이 있자마자 양위가 문을 열고 성큼성큼 들어와 강만리 앞에서 허리를 숙였다.

"십삼매 측에서 급보를 전해 왔습니다."

강만리를 비롯한 사람들의 표정이 굳어졌다. 십삼매의 급보라면, 결코 좋은 일이 아닐 거라는 생각이 사람들의 뇌리에 떠오른 까닭이었다.

"급보라면?"

강만리의 나지막한 물음에 양위는 얼굴을 딱딱하게 굳힌 채 말했다.

"악양부에서 사고가 발생했다고 합니다."

"악양부라면 예추와 군악, 유 사부가 가 계신 곳?"

"거기에 담 장주와 담 부인도 함께 계신다고 합니다."

"음?"

강만리의 눈이 휘둥그레졌다.

담우천과 나찰염요는 강서낭추 조태수라는 영감을 만나기 위해 남창부로 향하지 않았던가. 그들이 왜 악양부에서 모습을 드러낸 것일까.

'그들에게 사고가 생겼다니…….'

강만리의 얼굴이 딱딱하게 굳어지는 순간이었다.

2. 얼마나 고수들이 많은 거야?

"오랜만이네요."

십삼매의 인사에 강만리는 다짜고짜 본론으로 들어갔다.

"사고라니, 무슨 사고라는 게지?"

십삼매는 차분한 어조로 말했다.

"우선 자리에들 앉으세요. 아무리 급하다고 해서 서서 이야기를 나눌 수는 없잖아요?"

"음, 그건 그렇지."

강만리는 십삼매의 맞은편 자리에 앉았다. 함께 온 설벽린과 정유가 그의 양옆에 앉았다.

십삼매가 마지막으로 자리에 앉자, 소홍이 다소곳한 모습으로 나타나 차와 말린 과일을 탁자 위에 내려놓고 사라졌다.

"한 달 새 많이 컸어요."

십삼매는 복도 안쪽으로 사라지는 소홍의 뒷모습을 바라보며 말했다.

"화평장에서 무슨 일이 있었는지는 모르겠지만 그곳에 있는 동안 부쩍 성숙해진 것 같더라고요. 이제는 소녀가 아닌 여인의 향기가 나는 것 같아요."

"그야 당연히 아호와…… 윽."

설벽린이 입을 열다가 강만리가 허벅지를 꼬집는 바람에 낮은 신음을 토해 내야만 했다.

강만리는 설벽린을 가볍게 노려본 다음, 다시 십삼매를 돌아보며 입을 열었다.

"악양부에서 무슨 일이 발생했는지 제대로 듣고 싶네."

"오래간만에 뵙는데 정말 너무하시네요."

십삼매는 얕은 한숨을 내쉬며 고개를 설레설레 흔들고는 재차 입을 열었다.

"좋아요. 그리 채근하시니 말씀드리죠. 사흘 전 우리 황계 악양 지부가 괴멸당했어요. 상대는 무정검왕, 멸절사태, 홍염철검, 운룡신창, 구천자들이었고요."

"으음."

정유의 입에서 나지막한 신음성이 새어 나왔다. 설벽린도 눈이 휘둥그레졌다.

반면 강호의 노기인들에 대한 지식이 짧은 강만리만 어리둥절한 표정을 지었다.

"그들이 누군데?"

세 살배기 어린아이의 질문 같은 말에 설벽린이 한숨을 쉬며 입을 열었다.

"다들 강호에서 내로라하는 전대 기인들입니다. 특히 그 중에서 무정검왕이라고 하면 무림 십대천왕 중 한 명으로, 이쪽으로 치자면 공적십이마에 버금가는 절정고수이죠."

"아!"

공적십이마라는 아는 단어가 나오자 강만리는 그제야 고개를 끄덕이며 탄성을 흘렸다. 무정검왕이 어느 정도의 실력을 지닌 고수인지 단번에 이해가 된 것이다.

하지만 그는 곧 고개를 갸웃거리며 재차 질문을 던졌다.

"그런 노고수들이 왜 악양 지부를 괴멸시켰는데? 설마 그곳에 우리 형제들이 있기라도 한 거였나?"

"왜 아니겠어요?"

십삼매는 강만리를 똑바로 쳐다보며 말했다.

"무슨 일인지는 모르겠지만 악양에 무림오적 세 명이 동시에 출현했더군요. 거기에 유 노대와 나찰염요까지 해서 모두 다섯 명이 말이죠."

강만리는 내심 뜨끔했다.

화평장의 식구들이 북해빙궁으로 이주한다는 것은 철저한 비밀이었다. 또 그 이주 자금과 군자금을 마련하기 위해서 취몽월영의 보물들을 매각하는 것 역시 비밀이었다.

황계의 그 탁월한 정보 능력을 생각한다면 이른 시일 안에 십삼매가 그 비밀을 알게 되겠지만, 그래도 지금은 아니었다.

"허험. 개인 용무가 있었나 보지."

"무림오적 세 사람이 동시에 개인 용무를 보기 위해 악양부에 갔다고요?"

"그러니까 그건 나도 궁금하던 참이야. 왜 그들이 악양부에 가 있느냐는 거지."

"그럼 원래는 다른 곳에 가야 했었나 보네요?"

'이런…… 역시 눈치가 빠르다니까.'

"그야 나도 모르지. 다들 이삼 일 간격을 두고 볼일을 본다고 화평장에서 나갔으니까. 믿지 못하겠다면 소홍에게 물어봐. 그때는 그 녀석도 화평장에 있었으니까."

어쨌거나 지금 하고 있는 강만리의 말은 사실이었다. 십삼매는 가만히 그의 얼굴을 쳐다보다가 고개를 끄덕이며 화제를 바꿨다.

"그렇게 하죠. 어쨌든 그 악양부에서 제법 이런저런 사건을 벌이고 다녔나 봐요."

"누가? 군악이?"

"사건을 벌이고 다녔다는 말에 군악이 제일 먼저 떠오르나 보네요? 그렇게 사고뭉치인가요, 아직도?"

"아, 아니. 그건 아니고."

"아주 자세한 건 저도 몰라요. 어쨌든 그들이 악양부 일대에서 나름대로 유명한 흑도방파인 교룡회와 큰 싸움을 벌였고, 그걸 중재하러 나선 태극천맹과 금해가와도 다시 싸움을 벌였다고 하네요."

"교룡회?"

십삼매의 말에 강만리는 눈살을 찌푸리며 중얼거렸다.

"교룡회가 뭔데 그들과 싸움을 벌였을까?"

정유가 설명했다.

"교룡회는 제법 연륜과 역사가 깊은 악양부의 흑도방파입니다. 원래 다섯 명의 오룡두라는 노인들이 회주 역할을 분담했었는데 몇 년 전 구염이라는 여인이 친오빠를 내세워 하극상을 시도, 성공하고 권력을 쟁취했죠."

"호오, 잘 알고 있네."

"한동안 제가 했던 일이 그런 거니까요."

정유는 쓴웃음을 흘리며 말했다.

"태극천맹은 강호 전역에서 일어나는 모든 대소사를 조사하고 정보를 수집합니다. 그리고 그 사건들의 중요도에 따라 분류하는 작업을 제가 있었던 곳에서 했었죠."

"흠, 그렇다면 우리들 이야기도 그곳에 있겠군."

"정확하게 형님이나 다른 형제들 이름까지는 아니더라도 무림오적이나, 또 무림오적이 그간 벌였던 일들에 대해서 대략적인 조사가 진행되고는 있습니다."

"이야, 놀라운걸? 정말이지 왜 태극천맹이 천하를 지배하는지 알 수 있군그래."

"정보는 많으면 많을수록 좋은 법이니까요."

정유는 머쓱한 표정을 지은 채 힐끗 십삼매를 돌아보며 말을 이었다.

"하지만 그 정도 정보력은 황계도 가지고 있습니다. 아마 모르기는 몰라도 태극천맹의 무사들은 물론 식솔들의 젓가락 개수까지 파악하고 있을 겁니다."

"과찬이세요."

정유의 말에 십삼매가 방긋 웃으며 화답하듯 말했다.

"물론 우리가 정보를 사고팔아서 먹고사는 조직이기는 하지만, 그래도 태극천맹의 그 막강한 정보력에는 비교할 수가 없죠. 우리가 소소하고 미미한 정보들에서 앞선다면 굵직굵직한 특급 정보들은 역시 태극천맹이 최고죠."

"과찬이십니다."

강만리는 물끄러미 정유와 십삼매를 바라보았다.

묘한 일이다.

어쩌면 반드시 쓰러뜨리고 척살해야 할 숙적(宿敵)의 관계라고 할 수 있었다. 어쨌든 그들 두 사람은 태극천맹과 황계의 인물들이었으니까.

그런데 지금 저렇게 자신을 낮추고 상대를 높이며 화기애애한 대화를 주고받고 있는 게다. 훗날에는 어찌 될지 모르지만 지금 두 사람은 더없이 가까운 친구이자 동료의 모습으로 비치고 있었다.

"허험."

강만리는 헛기침을 하며 상념에서 깨어났다. 그러고는 다시 무뚝뚝한 목소리로 십삼매에게 말을 건넸다.

"교룡회에 대해서는 그 정도면 충분할 것 같고. 그래서, 군악을 비롯한 형제들이 태극천맹과 금해가에게 쫓겨서 황계의 악양 지부로 피신했다 이건가? 그리고 뒤를 쫓아온 백도의 노기인들, 뭐라고 했지? 무정검왕? 그래, 그들에게 악양 지부가 괴멸당한 거고?"

"맞아요."

십삼매는 진심으로 감탄하는 표정을 지으며 고개를 끄덕였다.

"역시 성도부 최고 포두답네요. 하나를 말씀드리면 열을 헤아리시니."

"됐고."

강만리는 냉정하게 십삼매의 말을 끊은 다음 계속해서 말했다.

"악양 지부가 괴멸당할 당시에 군악들은 자리에 없었나?"

"네. 마침 안가에서 휴식을 취하고 있던 새벽이었다고 하더군요."

"흠. 그런데 괴멸당했다는 정보가 자네에게까지 전해진 걸 보면 살아서 도망친 자들이 있었던 모양이군."

"그쪽 지부에 눈치 빠르고 영활한 아이들이 몇 명 있거든요."

"그럼 그 뒤 소식은? 그러니까 군악들은 어찌 되었는데?"

"그건 아직 보고되지 않았어요."

십삼매는 살짝 입술을 깨문 후 말했다.

"그리고 탈출한 자들의 보고에 따르자면 마지막까지 숭 지부주가 남아서 무정검왕들과 대치했다고 했는데, 그 숭 지부주의 생사도 아직 묘연하거든요."

"흠."

"악양 인근 지부의 사람들이 상황 파악을 하는 중이니 곧 연락이 올 거예요."

"그렇군."

강만리는 엉덩이를 긁고 싶은 욕망을 억지로 참으며 잠

시 생각에 잠겼다.

갑자기 대청에 침묵이 내려앉자, 설벽린이 기다렸다는 듯이 입을 열었다.

"뭐 별일은 없을 겁니다."

사람들의 시선이 자신에게로 쏠리자 설벽린은 어깨를 으쓱거리며 말을 이어 나갔다.

"다른 사람도 아닌 담 형님이 거기에 계시잖아요? 아무리 무정검왕이 대단한 거물이라 할지라도 담 형님이라면, 그리고 군악과 예추라면 충분히 대적할 수 있을 겁니다."

"상대가 오직 무정검왕뿐이라면 그렇겠죠."

정유가 설벽린의 낙관과는 달리 살짝 어두운 표정을 지으며 말을 받았다.

"멸절사태도 만만치 않은 고수입니다. 거기에 홍염철검과 운룡신창, 그리고 구천자도 함께 있는 데다가 태극천맹과 금해가의 고수들도 무시할 수 없습니다."

"뭐 태극천맹이나 금해가의 무사들이야……."

"일반 무사들이야 당연히 신경 쓰지 않아도 될 겁니다만…… 금해가에는 수백 명의 식객들이 있거든요."

"식객?"

설벽린이 눈을 동그랗게 뜨며 물었다.

"왜 그 맹상군의 식객 같은 거?"

"네. 금해가는 따로 그들을 숙객이라고 칭하는데 하나같이 고수 아닌 자가 없습니다. 그리고 그 수백 명의 절정 고수 중에서 백팔 명을 선정하여 백팔숙객이라고 부릅니다."

정유는 신중한 표정을 지으며 말을 이었다.

"그 백팔숙객 하나하나가 최소 구파일방의 장로급 혹은 장문인급 이상의 무공을 지닌 것으로 알려져 있습니다."

"호오."

가만히 듣고 있던 강만리가 고개를 갸웃거리며 입을 열었다.

"무림에는 도대체 얼마나 고수들이 많은 거야?"

정유가 씨익 웃으며 말했다.

"강변의 모래알만큼 많죠. 어쩌면 그보다 더 많을 수도 있고요."

"허어, 거참."

강만리는 고개를 휘휘 내젓고는 문득 십삼매를 향해 입을 열었다.

"그럼 할 이야기는 모두 끝난 거지?"

십삼매는 차분한 어조로 말했다.

"저녁 드시고 가라면……."

"거절하겠네."

"거절할 것 같아서 따로 말씀드리지 않을게요. 하지만 이것 한 가지만은 꼭 짚고 넘어가야겠어요."

십삼매의 입가에서 미소가 사라졌다. 그녀는 똑바로 강만리를 쳐다보며 말했다.

"혹시라도 저를 두고 장난치려 하시면, 그때는 진짜 제가 얼마나 독한지 똑똑히 알 수 있을 거예요."

강만리도 똑바로 그녀를 바라보며 담담한 어조로 말했다.

"자네가 얼마나 독한지는 잘 알고 있어."

"과연 그럴까요?"

십삼매는 다시 의미심장한 미소를 지었다.

강만리는 가만히 그녀를 바라보다가 마음에 들지 않는다는 표정을 지으며 입을 열었다.

"더 할 말이 없는가?"

십삼매는 미소를 지으며 농담처럼 말했다.

"왜요? 식사 권유를 받고……."

"지금 이 자리에 그런 농이 어울린다고 생각해?"

십삼매는 재차 농담을 하려다가 사납게 변한 강만리의 얼굴을 보고는 입을 다물었다. 어느새 그녀의 얼굴에서 미소가 사라졌다.

강만리는 무뚝뚝하게 말했다.

"악양 일대의 모든 황백(黃伯)들을 동원하여 내 형제들을 도와준다든가 하는 계획은 전혀 없단 말이지?"

"아."

십삼매는 그제야 왜 강만리의 표정이 저렇게 사나운지 이해했다는 듯이 입을 열었다.

"오라버니는 설마 그들이 금해가와 태극천맹에게 당할 거라고 생각하는 건 아니겠죠?"

"아니, 정반대의 생각을 하고 있다."

강만리는 으르렁거리듯 낮은 목소리로 말했다.

"금해가와 악양에 있는 태극천맹의 전력을 괴멸시키기에는 그 형제들만으로 부족하다는 생각이니까."

"네?"

십삼매의 눈이 휘둥그레졌다. 놀란 건 그녀뿐만이 아니었다. 설벽린도, 정유도 입을 쩍 벌린 채 강만리를 쳐다보았다.

"잘 알겠다."

강만리는 자리에서 일어나며 말했다.

"어쨌든 황계가 도와줄 생각이 없다는 거니까. 그럼 이만 가겠네."

객청을 빠져나가려던 강만리는 문득 생각났다는 듯이 말을 덧붙였다.

"소홍에게 또 놀러 오라고 전하게. 그 아이와 황계는 아무런 관련이 없으니까."

"잠깐만요."

뒤늦게 십삼매가 정신을 차리고 강만리를 붙잡으려 했지만 이미 때는 늦었다. 강만리는 머뭇거리는 정유와 설벽린을 채근하면서 성큼성큼 그녀의 집을 나섰다.

3. 오늘 당장 이주하는 게다

홍등가 골목길을 빠져나오자마자 강만리가 다급하게 말했다.

"당장 악양부로 가야겠다."

"진짜요?"

설벽린의 눈이 커졌다.

"진짜 담 형님들과 힘을 합쳐서 금해가와 악양 태극천맹 지부를 박살 내시려고요?"

"아니."

강만리는 고개를 저었다.

"예?"

설벽린의 눈이 더욱 커졌다. 정유도 도저히 이해할 수 없다는 표정을 지으며 강만리를 바라보았다.

강만리는 입을 열려다가 다물었다. 마주 오는 이들이 그를 보고 알은 척 말을 건네 왔던 것이다.

"아이고, 강 포두가 아니십니까?"

"잘 지내셨습니가, 포두 나리."

그들뿐만이 아니었다. 거리를 오가는 행인들 중 과거의 포두였던 그를 알아본 자들이 계속해서 인사를 건넸다.

강만리는 인상을 찡그리면서도 일일이 그 인사를 받아 주다가, 도저히 안 되겠다 싶었는지 입을 꾹 다문 채 서둘러 발길을 옮겼다.

설벽린과 정유는 서로를 돌아보며 의아한 표정을 짓고는 다시 강만리의 뒤를 따랐다.

이윽고 행인이 드문 한적한 길로 접어들자 강만리는 걸음을 늦추면서 입을 열었다.

"오늘 당장 이주하는 게다."

"이주라니요? 저 북해빙궁으로 말씀이십니까?"

이번에는 정유가 놀란 듯 물었다.

"그래."

"아니, 왜 갑자기요? 악양으로 쳐들어간다는 건 또 어떻게 하고요?"

"아무래도 십삼매, 그 녀석이 눈치를 챈 것 같거든."

설벽린의 질문에 강만리는 계속해서 동문서답했다.

"흐음."

설벽린은 가볍게 눈살을 찌푸렸지만 강만리는 개의치 않고 자신의 말만 이어 나갔다.

"애당초 그 녀석 몰래 이주하려 했던 거잖아? 만약 그 녀석이 눈치채서 우리 앞을 막아서기라도 한다면 그야말로 진퇴양난이 되는 거다."

"그거야 그런데요. 그렇다고 오늘 당장 이주를 시작하는 건 아무래도 무리가 아닐까 싶은데요."

설벽린의 말에 강만리는 이미 결심한 듯 단호하게 고개를 내저으며 말했다.

"팔 수 없는 것과 가지고 갈 수 없는 것들은 그냥 놔두고 챙길 수 있는 것들만 챙기면 된다. 쇠뿔도 당장에 빼랬다고, 지금이다 싶을 때 움직이는 게 최선인 법이다."

"흠, 하지만 그렇게 되면 아무래도 우리가 입을 손해가 막심할 텐데요."

설벽린이 손가락을 꼽아 가며 이야기했다.

"우선 가재도구들도 정리하지 못했고 아직 팔지 못한 덩치 큰 보물들도 제법 있습니다. 무엇보다 화평장과 그 일대 장원들이 아직 매매가 되지 않았잖습니까?"

세 사람이 이야기를 주고받으며 걷는 가운데 어느덧 저 멀리 버드나무길로 접어드는 입구가 보였다. 그 와중에도 설벽린의 입은 쉬지 않았다.

"어디 그뿐입니까? 또 이주하는데 들어가는 마차나 말도 모두 구매하지 못했습니다. 또한 십삼매나 허 노야의 눈을 속일 방법도 아직 구체화하지 못했고요. 이런 상황에서 성도부를 빠져나가는 건 그야말로 '나 지금 성도부에서 도망친다, 다들 잘 보고 있느냐?' 하고 동네방네 소문내는 격이 아니겠습니까?"

다 옳은 말이었고 예리한 비판이었다. 하지만 강만리는 눈 하나 끔뻑하지 않은 채 대꾸했다.

"그래서 악양부로 쳐들어가는 거다."

"네?"

설벽린은 강만리의 말이 무슨 뜻인지 몰라 눈을 휘둥그레 떴다. 강만리는 버드나무길로 발길을 옮기며 말을 이어 나갔다.

"담 형님 내외와 유 사부, 그리고 군악과 예추가 난관에 봉착했다. 그 소식을 들은 우리가 가만있을 수는 없지 않느냐? 당연히 도와주러 달려가야겠지."

"뭐, 그거야……."

"하지만 적은 무정검왕이라는 초절정의 고수를 비롯한 태극천맹과 금해가의 정예들, 그들을 박살 내기에는 우리만으로는 벅찰 수도 있다."

"그, 그래서요?"

"그래서 우리의 아내들과 화평장의 무사들까지 모두 함께 악양부로 달려가야 하는 게다. 금해가를 괴멸시키기 위해서라도 말이지."

"아니, 굳이 그럴 필요까지는 없을……."

"그럼 식솔들과 아이들이 남겠지? 우리가 없는 동안 누군가 그들을 보호해 줘야 하는데…… 그렇다고 십삼매나 허 노야에게 아이들을 맡기면 곧 인질이 될 테고."

"아, 그러니까 설마 지금……."

설벽린은 그제야 지금 강만리가 하는 말의 의도를 알겠다는 표정을 지었다.

강만리는 화평장을 향해 걸음을 옮기며 말을 이어 나갔다.

"그래서 아이들과 식솔은 우리가 믿을 수 있는 사람들에게 따로 맡길 생각이다. 물론 북해빙궁은 전혀 떠올리지 못할…… 가령 사천당문이나 무당파 같은, 아니 무당파가 낫겠군. 그렇게 되면 우리가 동정호까지는 함께 이동할 수 있는 타당한 이유가 생기게 되니까."

"이야, 그거 정말 좋은 생각입니다."

설벽린은 손뼉을 치며 말했다.

"만약 제가 북해빙궁으로의 이주를 전혀 모르고 있었다면, 지금 형님의 이야기에서 한 점 거짓말을 찾지 못했을 겁니다. 그러니까 악양으로 가는 척하면서 곧장 북해빙궁으로 간다 이거죠?"

"아니."

강만리는 화평장 정문을 통과하여 앞마당으로 들어서며 말했다.

"당연히 악양부에 가야지."

"네?"

"그럼 네가 위기에 처했을 때 우리가 도와주러 가지 않아도 괜찮겠냐?"

"아, 그야 저는 워낙 약하기도 하니까……."

"그건 무공의 고하와 상관없는 일이다."

강만리는 잘라 말했다.

"우리는 모두 형제이기 때문에, 그리고 가족이기 때문에 무조건 달려가 도와줘야 하는 거다. 설령 위기에 처한 사람이 네가 되었다 하더라도 말이다."

"어, 그건 또 무슨 말씀이십니까? 왠지 모르게 조금 섭섭하게 들립니다."

설벽린이 투덜거릴 때 강만리는 이미 위정전 본청으로 들어서며 큰 소리로 외치고 있었다.

"양 당주는 어디 있나? 사람들을 모두 위정전으로 불러 모아 주게!"

* * *

십여 명의 남녀가 모인 가운데 강만리는 갑작스러운 이주에 대해서 이야기했다.

사람들은 각자 서로 다른 표정을 지었지만 누구 하나

강만리의 말에 반대하는 사람은 없었다. 어쨌든 이 장원의 실질적인 장주는 강만리였고, 그의 이야기는 곧 장주의 명령과 다름없었으므로.

"흠. 장원에 설치되어 있는 기관진식을 모두 해체해서 가지고 가려면 하룻밤으로 부족한데."

헌원중광은 팔짱을 낀 채 손가락으로 팔뚝을 두들기며 중얼거렸다. 최대한 빨리 해체할 방법과 또 반드시 챙겨야 할 것들에 대해서 생각하는 눈치였다.

"장원 내의 마차만을 이용해서 짐을 싸려면 진짜 버릴 것투성이네."

화군악의 아내 정소흔이 중얼거리자, 장예추의 부인인 당혜혜가 심각한 표정을 지으며 고개를 끄덕였다.

"맞아요. 가재도구는 다 버리고 간다고 생각해야겠어요."

예예도 말을 받았다.

"북해는 추우니까 두툼한 솜옷과 솜이불은 챙기는 게 좋을 것 같아요."

양위는 머리를 긁적이며 혼잣말을 하고 있었다.

"이것 참. 빨라도 너무 빠른데. 아직 호위 계획이나 순번도 제대로 정하지 않았는데 말이지."

그렇게 사람들이 저마다 해야 할 일에 대해서 난감해하고 또 계획을 세우고 있을 때, 고굉이 갑자기 강만리를 향해 입을 열었다.

“그럼 저는 어떻게 합니까?”

“응?”

강만리가 그를 돌아보자 고굉은 난감한 표정을 지으며 말을 이었다.

“원래 계획대로라면 저와 제 수하들이 남아서 화평장을 지켜야 합니다. 허 노야나 십삼매가 불쑥 찾아오면 장주들과 부인들이 함께 잠시 친정에 갔다는 거짓말로 대응하는 것도 계획의 일부분이 아니었습니까? 그런데 이렇게 당당히 악양부로 쳐들어간다는 상황이 되면…….”

“당연히 우리와 함께 움직여야지.”

강만리는 생각하지도 않고 말했다.

“자네와 자네 수하들은 앞으로 가족들의 든든한 보호막이 되어 줘야 할 거야.”

고굉의 얼굴이 밝아졌다.

“목숨을 바쳐 화평장 식구들을 지키겠습니다.”

아란이 낮은 목소리로 중얼거렸다.

“아니지, 아호가 당신을 지켜 주겠지.”

고굉은 그녀의 말을 듣지 못한 듯 더욱 신나서 말했다.

“악양부에서 한바탕 싸움을 벌일 생각을 하니까 벌써부터 몸이 근질근질합니다.”

“악양부라니.”

강만리가 눈살을 찌푸렸다.

“지금까지 무슨 이야기를 들은 거야?”

“네? 그러니까 악양부로 쳐들어가서 태극천맹과 금해가를 깨부수고 담 형님들을 구출한다고 하지 않으셨습니까?”

“이런.”

강만리는 한숨을 쉬며 말했다.

“그건 어디까지나 십삼매나 허 노야를 속이려는 위장에 불과하다니까.”

“아, 그럼 악양부에 들르는 척하면서 곧장 북해빙궁으로 도망치는 겁니까?”

“음, 절반은 맞췄다고 해야 하나?”

강만리는 습관적으로 엉덩이를 긁으려다가 다시 손을 거둬들이며 말을 이었다.

“그러니까 두 패로 나눠서 한 패는 곧장 북해빙궁으로, 그리고 남은 한 패는 악양부로 가서 담 형님들과 합류, 다시 북해빙궁으로 가는 거지.”

“예? 그럼 한바탕 싸우는 건…….”

“싸우지 않을 수 있다면 끝까지 싸우지 않는 게 더 좋은 게다.”

강만리는 매서운 눈빛으로 고굉을 바라보며 말했다.

“어쨌거나 이쪽은 여인들과 아이들까지 있으니까 말이지.”

고굉은 고개를 움츠리며 대답했다.

"네, 물론 그렇죠. 싸우지 않고 승리하는 것이야말로 가장 훌륭한 전술이니까요."

"승리는 또 무슨."

강만리는 다시 한숨을 쉬었다.

2장.

떠나는 자, 남는 자

"나와 자고 싶은 거야? 아니면 나와 연인이 되고 싶은 거야?"
"뭐, 그게 그러니까……."
"다음에 만나게 되면 대답해 줘. 그럼 나도 진심으로 널 대할 테니까."

떠나는 자, 남는 자

1. 준비

화평장의 모든 이들이 정신없이 바쁘게 움직였다. 시간이 없었다. 한나절 안에 모든 짐을 꾸려서 이주 준비를 끝내야 하는 것이다.

“한 사람당 봇짐 하나면 된다, 가지고 갈 것은.”

강만리는 허둥지둥 이리저리 뛰어다니는 사람들을 향해 그렇게 말했다.

“누가 보더라도 야반도주가 아닌, 반드시 우리가 다시 돌아올 거라고 믿을 수 있게끔 모든 가재도구들은 그대로 놔두어야 한다.”

야반도주를 하는 게 아니었다. 위기에 처한 형제들을 구출하기 위해 화평장의 모든 전력을 동원하는 것뿐이었다.

적어도 십삼매나 허 노야에게는 그렇게 보여야만 했다. 그러니 가재도구들은 물론, 어지간한 기관진식들도 그대로 놔두어야 했다.

"알겠소? 구하기 힘든 몇몇 물건들, 가령 사천당문의 암기들 같은 것만 챙기고 나머지는 그냥 놔두어야 하오."

강만리는 헌원중광에게 그리 당부했다. 헌원중광은 영 마뜩지 않은 표정을 지으면서도 고개를 끄덕였다.

"자식 같은 녀석들을 놔두고 가라니, 가슴이 찢어지는 것 같지만…… 그래도 어쩔 수 없지."

헌원중광은 그리 투덜거리면서 장원 내에 설치된 암기들을 거둬들이기 시작했다.

강만리는 그 광경을 지켜보다가 다시 발길을 돌려 고굉을 찾아갔다.

"네 수하들 중에서 아직 이 계획을 모르는 아이들이 있지?"

"네."

봇짐 가득 짐을 꾸리던 고굉이 대답했다.

"정확하게 말하면 수하들 모두 다 모르고 있습니다."

"그중 성도부에 가족이 있고 충성심이 높은 자들 몇을 골라서 이곳에 남아 장원을 지키라고 해라. 그들에게는 우리가 악양부로 간다고 이야기해 놓고. 절대 우리의 진짜 계획을 알려 줘서는 안 된다."

거기까지 말한 강만리는 살짝 미안한 표정을 지으며 말을 이었다.

"어쩌면 허 노야들에게 고문을 당할지도 모르니, 그에 합당한 대가를 먼저 지불해 주고. 그래, 각자에게 은자 오백 냥씩 주도록 해."

"안 됩니다, 형님."

고굉이 딱 잘라 말하자 강만리의 좁쌀만 한 눈이 커졌다. 고굉은 진지한 얼굴로 말을 이어 나갔다.

"은자 오백 냥이라면 뭔가 의심을 품을 수 있을 정도의 거액입니다. 그냥 이곳에 남아서 장원을 지키는데 이런 거액을 줘? 하고 의구심을 품을 테니까요."

"흐음."

강만리는 고굉의 말이 그럴 법하다고 생각했다. 고굉이 계속해서 말했다.

"많아도 은자 백 냥이면 떡을 치고도 남습니다. 그것도 사실 많기는 합니다만."

"그래, 그렇게 해라."

강만리는 고굉의 어깨를 다독이며 말했다.

"네가 좀 고생해라."

고굉은 고개를 숙이며 대답했다.

"네, 최선을 다해 장원 식구들을 모시겠습니다."

강만리는 다시 고굉의 방을 빠져나와 위정전으로 향했다. 위정전 앞에는 한 쌍의 남녀가 그를 기다리고 있었다. 소묘아와 고로투였다.

"둘째 오빠."

소묘아가 강만리를 불렀다.

어느새 그녀의 어눌한 말투는 사라지고 완벽하게 발음하고 있었다.

"무슨 일이야?"

강만리가 미소를 지으며 묻자 소묘아는 고양이처럼 반짝이는 눈빛으로 그를 쳐다보며 말했다.

"우리는 십만대산으로 돌아갈게."

"응?"

의외의 말에 강만리의 눈이 휘둥그레졌다. 소묘아는 담담하게, 하지만 조금은 의기소침한 듯한 목소리로 말했다.

"엄마, 아빠가 보고 싶거든."

"으음."

강만리는 잠시 소묘아의 얼굴을 바라보다가 다시 고로투의 얼굴을 쳐다보았다. 그러고는 그 표정에서 뭔가를 느낀 듯 나지막한 목소리로 물었다.

"이유가 그것뿐이야?"

소묘아는 탱탱한 아랫입술을 질겅질겅 씹다가 고개를

끄덕였다.

"응. 향수병 때문이지. 그것 말고 뭐가 더 있겠어?"

거짓말.

강만리는 두 사람의 눈빛에서 소묘아의 거짓말을 읽어 낼 수 있었다.

'물론 향수병도 없지는 않겠지만 분명 그보다 더 큰 이유가 있다.'

어쩌면 자신들이 화평장 사람들에게 전혀 도움이 되지 않는다고 생각했을지도 모른다.

또 어쩌면 무공 수련이 너무 힘들거나 혹은 더 이상 실력이 늘지 않아서 좌절했을지도 모른다.

그리고 어쩌면 사시사철 눈보라가 휘몰아치는 북해빙궁의 기후에 대한 불안감 때문인지도 모른다.

어쨌든 향수병이나 부모님이 보고 싶다는 건 핑계였고, 곁가지 이유에 불과했다.

강만리는 차근차근 묻고 싶었다. 설득해서 그들과 함께하고 싶었다.

하지만 지금은 그럴 시간이 없었다. 차 한잔 마시면서 그들이 겪고 있는 어려움에 관해 이야기를 들어 줄 시간이 없었다.

강만리는 짧게 생각을 정리하고 입을 열었다.

"후회하지 않겠어?"

"응. 미안해."

소묘아가 웃으며 그렇게 말했다. 강만리도 웃으며 말했다.

"언제고 다시 돌아와도 좋아. 우리는 한 식구이니까."

"물론이야. 우리는 한 식구야."

소묘아가 강만리의 품에 안겼다. 강만리는 탱탱하고 풍만한 그녀의 육체에 움찔거렸지만 이내 여동생을 대하듯 그녀를 안고 다독였다.

이윽고 소요아가 그에게서 떨어졌다. 방긋 웃는 그녀의 눈빛이 왠지 붉어 보였다.

"미안합니다."

고로투가 어눌한 말투로 그리 말했다. 강만리가 고개를 저으며 말했다.

"아니, 식구끼리는 그런 말 하는 게 아니다."

강만리는 마침 지나가는 무사 하나를 붙잡아 양위를 데려오라고 지시했다. 얼마 지나지 않아, 양위가 땀을 뻘뻘 흘리면서 달려왔다.

"이 두 사람에게 은자 천 냥과 말 두 필을 내주시오."

양위는 무슨 일인가 싶어 의아한 표정을 지었지만 이내 고개를 숙이며 대답했다.

"그리하겠습니다."

강만리는 양위가 다시 달려가는 뒷모습을 보다가 뭔가

생각났다는 듯이 소묘아와 고로투를 돌아보며 물었다.

"참, 가는 길에 부탁 하나만 해도 될까?"

소묘아가 해맑게 웃으며 말했다.

"뭐든지."

"그럼……."

강만리는 그들에게 부탁거리를 이야기했다. 소묘아는 그 정도야 하는 표정으로 어깨를 으쓱거렸다.

이야기를 마친 강만리는 살짝 아쉬운 표정을 지으며 입을 열었다.

"그나저나 예추와 군악에게는 아무 말도 하지 않고 갈 거야?"

소묘아는 순간적으로 울적한 표정을 지으려다가 이내 활짝 웃으며 말했다.

"가족끼리는 작별 인사 같은 거 하지 않아. 언제든 다시 만날 수 있으니까."

"그래, 맞다."

강만리도 웃으며 말했다.

"언제든지 만날 수 있으니까. 작별 인사는 필요 없지."

* * *

"북해빙궁이라……."

만해거사는 위정전 이 층 양대 난간에 몸을 기댄 채 중원거렸다.

이 층 양대에서는 화평장의 앞마당 일대가 훤히 내려다 보였는데, 수십 명의 무사들이 이리 뛰고 저리 뛰며 바쁘게 돌아다니고 있었다.

날은 이제 해가 저물어 어둑어둑해지기 시작했다. 건물 앞 석조등(石彫燈)에 하나둘씩 불이 밝혀지는 가운데, 사람들은 더욱 정신없이 뛰어다녔다.

"오래 살다 보니까 늙으막에 북해까지 다 가 보게 되는군그래."

만해거사가 그렇게 중얼거릴 때였다.

"어? 여기 계셨습니까?"

이 층 복도를 지나가던 강만리가 그를 발견하고는 양대로 걸어 나왔다. 쉬지 않고 계속해서 사람들에게 온갖 지시를 한 까닭인지 강만리의 눈가에는 그늘이 져 있었으며 목소리는 살짝 쉰 듯했다.

"아, 바람이 좋아서."

만해거사가 그를 반겼다. 강만리는 만해거사 곁으로 다가와 난간에 팔을 기대며 한숨을 내쉬었다.

"확실히 바람이 시원하네요."

"바람이 시원하다고 하기에는 아직 쌀쌀한 날씨인데?"

"계속 뛰어다녔더니 제법 땀이 찼거든요."

강만리는 만해거사처럼 화평장 앞마당을 내려다보며 말했다.

"예서 보니까 왠지 남의 일만 같습니다. 저렇게 뛰어다니는 모습이."

"허허, 그렇지?"

만해거사는 너털웃음을 흘리며 말했다.

"무슨 일이든 다 그런 법일세. 한 발 뒤로 물러나서 보면 다 객관적으로 보이는 법이지."

"객관적이라……."

"그래. 그래서 사물을 볼 때나, 혹은 계획을 진행할 때 아무리 바쁘고 정신이 없더라도 지금처럼 한 걸음 뒤로 물러나서 전체를 살피고 형세를 관망하는 여유가 필요한 법일세. 한숨 돌리면서 쉬어가는 그 약간의 여유가 때로는 성공과 실패를 좌우할 수도 있으니 말이야."

"좋은 말씀이십니다."

강만리는 고개를 끄덕이며 만해거사의 말을 되씹다가 문득 그를 돌아보며 물었다.

"만해 사부께서는 북해에 가 보신 적이 있으십니까?"

"아니, 없네. 이번이 처음일세."

만해거사는 활짝 웃으며 말했다.

"그래서 잔뜩 기대하고 있고 또 흥분하던 참이네. 북해의 바람이 얼마나 차가울지, 또 그 유명한 사간포(査干

泡)도 보고 싶고 말이지. 동정호보다도 더 넓고 거대해서 마치 바다와 같다고 했던가?"

"아, 사간포라면 저도 본 적이 있습니다."

강만리는 수년 전 예예와 화군악과 함께 했던 북해 여정을 떠올리며 말했다.

"성스러운 백색 호수라는 뜻이랍니다, 사간포가. 처음 봤을 때는 정말 넓어서 진짜 바다인 줄 알았습니다. 뭐, 바다라는 걸 본 적은 없지만 말입니다."

"음? 바다를 본 적이 없어?"

"네."

강만리는 쑥스러운 표정을 지으며 말했다.

"평생 성도부에서 살다가 북경부에 한 번 다녀오고, 또 북해빙궁에 가 본 것이 제 여행의 전부이니까요."

"흠. 하기야 내 나이 또래의 늙은이들 중에서도 바다를 구경하지 못한 자들이 적지 않지. 유 늙은이도 바다를 한 번도 보지 못했지, 아마?"

"유 사부께서도요?"

"그래. 바다를 보려면 아무래도 작정하고 여행해야 하는데, 그게 마음처럼 쉽게 되지 않으니까. 워낙 대륙이 넓다 보니까 대륙을 돌아다니는 것만으로도 벅차거든."

만해거사는 어깨를 으쓱거리며 말을 이었다.

"나도 제법 많은 여행을 하면서 여기저기 안 다녀 본

데가 없다고 자처하지만, 그래도 아직 못 가 본 지역이 여럿 있다네. 북해가 그중 하나이고."

"그렇군요."

"그나저나 유 늙은이 이야기가 나와서 하는 말인데…… 아무래도 교룡회라는 곳과의 싸움, 그 늙은이가 먼저 시작했을 게 분명하네."

갑작스런 만해거사의 말에 강만리의 눈이 휘둥그레졌다.

"그렇습니까?"

2. 일각이면 충분하거든

"교룡회의 오룡두와 인연이 있었거든."

만해거사는 가느스름하게 눈을 뜨며 말했다.

"마치 지금의 우리들처럼, 정사의 관계를 초월해서 맺어진 우정이라는 게 유 늙은이와 오룡두 사이에 있었지. 그런에 이번 악양부에서 그런 오룡두가 하극상을 당했다는 사실을 알게 되었을 게야."

그의 말에 강만리는 고개를 끄덕이며 중얼거렸다.

"음, 확실히 가만있을 수 없으셨겠군요."

"그렇지. 도대체 무슨 일이 있었던 건지, 어떻게 오룡두가 하극상을 당했는지 알고 싶었을 테고 어쩌면 복수까지 할 작정이었을지도 몰라."

"그 와중에 금해가와 태극천맹이 끼어들었을 테고요."

"아무래도 각 지역의 내로라하는 흑도방파의 경우에는 태극천맹의 지부들에게 적잖은 상납금과 후원금을 지불하고 있으니 교룡회도 그랬을 가능성이 높지."

"이제야 악양부에서 벌어진 일들이 대충 이해가 갑니다."

강만리는 몸을 돌려 난간에 등을 기댔다. 나무로 만들어진 난간이 우둑 소리를 내는 것 같았다.

"유 늙은이의 평소 성격이라면 지금쯤 자신 때문에 이렇게 일이 크게 번진 걸 후회하고 자책하겠지. 생긴 것처럼 좀스럽고 간담(肝膽)이 작거든."

만해거사는 콧잔등을 씰룩이며 웃었다.

"허허허. 당장이라도 가서 그 늙은이의 낭패 어린 표정을 보고 싶군그래."

"한 시진 후면 출발할 겁니다."

강만리는 두꺼운 목을 돌려 마당을 내려다보며 말했다. 어느덧 바쁘게 뛰어다니는 이들의 모습이 상당히 줄어 있었고, 마차 다섯 대가 앞마당에 나란히 늘어서 있었다.

"이런!"

강만리가 깜짝 놀라며 소리쳤다.
"다섯 대라니! 뭐가 저리 많은 거야?"
강만리는 짜증을 내며 아래층으로 내려가려다가 만해거사를 돌아보며 빠르게 말했다.
"이제 만해 사부도 가셔서 얼른 짐을 꾸리셔야 할 것 같습니다."
만해거사는 두 손을 들어 보이며 웃었다.
"걱정 말게. 나는 이게 전부이니까."
강만리는 그런 만해거사를 보고 뭐라 말하려다가 입을 다물고는 고개를 한 번 숙인 후 허둥지둥 양대를 떠났다.
순식간에 위정전을 벗어나 넓은 앞마당으로 달려온 강만리는 늘어선 마차들을 둘러보다가 예예를 발견, 곧장 그녀에게로 향했다.
"다섯 대라니, 뭐가 이리 많은 거야?"
강만리가 다짜고짜 묻자 예예는 피곤한 기색을 감추지 않은 채 대꾸했다.
"이것도 반의반으로 줄인 거예요."
"안 돼."
강만리는 단호하게 고개를 저었다.
"두 대. 한 대는 아녀자들이 타고, 다른 한 대에 짐을 실어. 안 그러면 모두 버리고 갈 거니까."
"하지만……."

"하지만이고 뭐고 그렇게 해."

"당신이 몰라서 그렇지 애들 용품이 얼마나 많은데요? 게다가 북해의 그 추위를 견디려면……."

"필요한 건 가면서 구입하면 돼. 생각 같아서는 짐 하나 없이 다들 말을 타고 이동하게 하고 싶은데."

그렇게 짜증을 부리듯 말하던 강만리가 문득 입을 다물었다. 예예가 싸늘한 눈빛으로 자신을 노려보고 있는 걸 알아차린 까닭이었다.

저도 모르게 가슴이 서늘해졌다.

'젠장, 예예의 저 눈빛은 철목가주의 주먹보다 더 무섭다니까.'

강만리는 속으로 한숨을 내쉰 후, 조금 부드러워진 어조로 설득하듯 말했다.

"물론 아까운 것도 있을 테고, 놔두고 가기에는 아쉽고 필요한 것도 있겠지. 하지만 짐은 최소한으로 꾸려야 해. 우리부터 솔선수범해야 다른 사람들도 따라서 하지."

강만리와 예예 주변에서 마차에 짐을 싣고 있던 이들이 그들의 눈치를 살피며 쭈뼛거렸다. 그러는 가운데 강만리의 말은 계속해서 이어지고 있었다.

"무엇보다 지금은 얼마나 빨리 북해빙궁으로 가느냐, 그렇지 못하느냐가 중요하거든. 어떻게든 십삼매나 허노야 몰래 북해빙궁에 당도해야 한다고. 그들이 알게 되면 북해는 물론 지옥 끝까지 쫓아올 거야. 설마 빙장(聘丈) 어르신께 폐를 끼치고 싶은 건 아니겠지?"

"정말이지……."

예예는 한숨을 쉬며 말했다.

"당신에게는 말로 해서 당해 낼 수가 없네요. 알겠어요. 최대한 짐을 추려 내 볼게요."

"고마워. 이해해 줘서."

"하지만 이번에 추려 내면 두 번 다시 뭐라 하기 없기예요. 꼭 필요한 것들만 챙길 테니까요."

"그래, 그래. 잘 알아서 할 거라도 믿으니까."

강만리는 예예의 어깨를 다독이고는 서둘러 자리를 떴다.

예예는 다시 한숨을 쉬고는 마차에서 짐을 내리기 시작했다. 주변 사람들도 그녀를 따라서 하나둘씩 짐을 내렸다.

"아, 자네도 갈 거지?"

위정전으로 향하던 강만리는 누군가의 짐을 지고 마당 쪽으로 걸어오던 정유를 보고는 그렇게 물었다.

정유가 웃으며 되물었다.

"왜, 싫으세요?"

"아니, 혹시나 해서. 천맹 일이 바쁘면……."

"괜찮습니다."

정유는 어깨를 으쓱거리며 말했다.

"맹주께서 무한 휴가를 주셨으니까요. 아, 월봉이 나오는 휴가입니다."

"젠장. 나도 그런 휴가를 받고 싶군. 참, 그 짐은 누구 거야?"

"군악네 짐입니다. 담 형님네는 아호 녀석이 잘하고 있어서 군악네를 돕는 중입니다."

"잘했다."

"그럼."

정유가 앞마당으로 걸음을 옮겼다. 강만리는 그와 헤어져 다시 걸음을 옮겼다. 그로부터 얼마 지나지 않아서였다.

"잠깐만요, 오라버니."

달콤한 여인의 목소리가 위정전으로 되돌아가는 강만리의 발걸음을 붙잡았다.

'이번에는 또 뭐냐?'

강만리는 인상을 찡그리며 뒤를 돌아보았다. 제법 멀리서 달려온 듯 아란이 숨을 할딱이며 말했다.

"아까는 사람들이 많아서 제대로 말할 수가 없었어요."

강만리는 대충 알겠다는 표정을 지으며 물었다.

"이곳에 남겠다고?"

아란이 깜짝 놀라는 시늉을 하며 되물었다.

"어떻게 아셨어요?"

"그야 그동안 네가 이곳에서 만들어 놓은 조직이 아까울 테니까."

아란은 강만리의 지시를 받아 연풍회(軟風會)라는 정보 조직을 세우고 꾸려 왔다.

아직 초창기라서 황계나 흑개방과 같은 곳과는 감히 비교조차 할 수 없지만, 그래도 한 무리의 우두머리가 되어서 이것저것 계획을 세우고 명령을 내리는 일이 제법 마음에 들었던 아란이었다.

"우리가 떠나면 힘들어질 텐데."

"생각해 보세요."

강만리의 말에 아란은 고개를 저으며 말했다.

"오라버니들이 담 오라버니들을 구하기 위해서 악양부로 총출동하는데 저와 제 조직마저 성도부를 떠난다면 다들 이상하게 생각하지 않을까요?"

"으음."

그 말에도 일리가 있다 싶은 강만리가 고개를 끄덕이자 아란은 더욱 빠른 어조로 말을 이어 나갔다.

"그러니까 저는 이곳에 남아서 그들이 의심하지 않게 활동하면서, 틈틈이 아무도 모르게 다른 지역으로 이주할 준비를 할게요."

"음, 나쁘지 않군. 하지만 그래도 지금 우리와 함께 떠나는 것보다 위험할 거다."

"그 정도 위험은 감수해야죠."

아란이 생글거리며 말했다.

"저도 어쨌든 화평장의 식구잖아요. 가족을 위해서 그 정도 위험은 충분히 감수할 수 있어요."

강만리는 새롭다는 듯이 아란을 바라보았다. 늘 귀찮고 번거롭게만 생각하던 그녀였는데, 정작 그녀는 강만리와 화평장 사람들을 그렇게 여기지 않는 듯했다.

"조심해라."

강만리는 잠시 생각하다가 입을 열었다.

"양 당주에게 말해서 따로 자금을 내줄 테니 그걸로 버티고, 또 이주 준비도 하고."

"네. 다른 지역에서 자리를 잡게 되면 연락할게요."

"그래, 알겠다. 조심해라."

강만리는 거듭 주의를 당부한 후 위정전 쪽으로 발길을 돌렸다. 그 뒷모습을 가만히 지켜보던 아란은 길게 숨을 내쉰 후 어깨를 크게 으쓱거리며 중얼거렸다.

"이제 진짜 홀로 서는 거야."

아란은 곰곰이 생각하다가 몸을 돌려 삼불소축으로 향했다. 삼불소축에는 마침 설벽린이 객청 탁자에 앉아 뭔가 지도 같은 것을 펼쳐 놓고 끙끙거리고 있었다.

"짐 안 싸?"

아란의 말에 설벽린은 돌아보지도 않은 채 대꾸했다.

"다 쌌다. 그러는 너는?"

"나는 이곳에 머무르려고."

"그래. 당연히 그래야지. 응? 방금 뭐라고 했지? 이곳에 머문다고?"

설벽린은 깜짝 놀라 그녀를 쳐다보았다. 아란은 배시시 웃으며 의자를 끌어다가 그의 옆자리에 앉았다. 설벽린은 눈을 동그랗게 뜬 채 거듭 물었다.

"진짜야? 이곳에 남을 거야?"

"응."

아란은 피곤하다는 듯이 한껏 기지개를 켰다. 그녀의 봉긋한 가슴이 두드러져 보였다.

하지만 설벽린은 그녀의 가슴을 감상할 여유도 없는 것처럼 얼굴을 똑바로 바라보며 다시 질문을 던졌다.

"왜? 무엇 때문에?"

"방금 강 오라버니를 만나서 이야기를 했거든. 일전에 고굉이 말했던 것처럼 내가 이곳에 남아서 십삼매나 허노야의 이목을 돌리는 역할을 하겠다고."

"왜 네가?"

"왜? 내가 하면 안 돼?"

"아니, 꼭 그런 건 아닌데. 그래도 굳이 네가 할 이유는 없잖아?"

"이유는 무슨."

아란은 싱글거리며 말했다.

"북해 찬바람은 피부에 안 좋거든. 그래서 가지 않으려고."

설벽린이 눈살을 찌푸렸다.

"말도 안 되는 소리 좀 하지 말고. 사실대로 말해 봐. 무슨 일인데? 설마 이곳에 사내라도 생긴 거야?"

아란이 피식 웃었다.

"하여튼 그런 쪽으로밖에 머리가 안 돌아간다니까."

어쩔 도리가 없다는 표정을 지으며 고개를 휘휘 젓던 아란은 문득 정색하며 설벽린에게 물엇다.

"아직도 나와 자고 싶어?"

갑작스러운 질문에 설벽린이 움찔거렸다.

"그, 그야……."

"나와 자고 싶은 거야? 아니면 나와 연인이 되고 싶은 거야?"

"뭐, 그게 그러니까……."

"다음에 만나게 되면 대답해 줘. 그럼 나도 진심으로 널 대할 테니까."

아란은 거기까지 말한 후 자리에서 일어나 자신의 방으로 향했다. 설벽린은 아직도 어안이 벙벙한 표정을 지은 채 아무런 말도 하지 못하고 그녀의 뒷모습을 바라보았다.

막 복도로 들어서려던 그녀가 갑자기 한 손으로 벽을 짚더니 설벽린을 돌아보며 요염하게 웃었다. 그러고는 남은 한 손으로 웃옷을 풀어 벗으며 소곤거렸다. 매끈한 그녀의 속살이 드러났다.

"출발하기에는 아직 시간이 남았는데……."

설벽린의 심장이 쿵쾅거리기 시작했다. 그는 마른침을 꿀꺽 삼키며 물었다.

"그, 그러니까 지금 하자는 거야?"

"어때? 아, 안 되려나? 아무리 빨라도 이각 정도 걸릴 테니 출발 시간에 늦으려나?"

"무슨 소리야? 일각이면 충분하거든."

설벽린은 옷을 벗으며 자리에서 벌떡 일어났다.

3. 야반도주하기에는

"아버지에게 무슨 일이 생겼어요?"

소화를 도와서 짐을 꾸리던 담호가 지나가는 말처럼 물었다.

소화는 움찔거리다가 이내 밝게 웃으며 대답했다.

"무슨 일이 생길 분이니?"

"아, 그렇죠."

담호도 웃었다.

"무슨 일이 생기기에는 너무 강하시기는 하죠."

그때 소화의 등에 업혀 있던 보보가 잠에서 깨어나 울기 시작했다. 소화가 자리에서 일어나 보보를 다독였다.

담호가 얼른 말했다.

"작은 엄마는 나가셔서 보보를 봐주세요. 짐정리는 제가 할 테니까요."

"그래도 되겠니?"

"저것들만 따로 보에 싸면 되죠?"

"그래. 대충 다 정리해 뒀으니까 그것만 해 주렴?"

"네."

"고마워."

소화는 활짝 웃으며 말했다.

"네가 벌써 이렇게 커서 도와주다니, 정말 세월 빠르다니까."

담호는 쑥스럽다는 듯 머리를 긁적이고는 황급히 짐을 정리하기 시작했다. 소화는 그런 담호를 방에 두고 복도를 따라 객청으로 향했다.

객청 탁자에는 밥을 먹다가 엎어져 잠든 담창이 있었다. 어린 꼬마의 곤히 잠든 얼굴에는 기름기가 덕지덕지 묻어 있었다.

"아휴, 참."

소화는 베로 만든 수건을 찾아 담창의 얼굴을 닦았다.

"으음, 배불러."

담창의 잠꼬대에 소화는 피식 웃었다.

형과 달리 장난꾸러기였지만 그래도 손이 가는 아이는 아니었다. 늘 밝고 활기가 넘치고 낯가림이 없어서 장원 무사들의 인기를 독차지하는 녀석이기도 했다.

"보따리가 세 개나 돼요."

짐을 다 꾸린 담호가 제 몸집만 한 보따리 세 개를 등에 짊어진 채 객청에 나타났다. 소화의 눈이 휘둥그레졌다.

"무겁지 않아?"

담호가 씨익 웃었다.

"겨우 이 정도로요? 차라리 아창이 더 무겁겠어요."

담호는 객청 문을 열고 밖으로 나가며 말을 이었다.

"그럼 이거 마차에 갖다 놓고 올게요. 그리고 혹시 챙기지 못한 게 있나 한 번 더 확인할게요."

"그래. 고맙다."

담호는 소화의 말을 뒤로 한 채 유운각을 나서 마차들이 대기하고 있는 앞마당으로 향했다. 그가 후원을 지나 월동문에 막 들어서려는 순간, 월동문 저편에서 누군가 대화를 나누는 소리가 들려왔다.

"무정검왕이라는 자가 그리 강합니까? 설마 담 장주가 이기지 못할 정도로요?"

"무정검왕의 무위는 공적십이마와 버금간다고 할 수 있지. 물론 담 장주 역시 그 정도 무위는 된다고 보니까, 직접 싸워 보기 전에는 누가 이긴다고 장담할 수 없을 거야. 문제는 금해가와 태극천맹의 정예들이 무정검왕들 뒤에 버티고 있다는 점이야. 아무래도 한 주먹이 열 손바닥을 당해 낼 수는 없으니까."

양위와 그의 심복들이 월동문을 지나쳐 걸어가며 두런두런 대화를 나누는 중이었다.

담호는 깜짝 놀라 월동문 뒤에 숨었다. 대화를 나누는 소리가 점점 멀어져 갔다.

"그럼 우리도 악양부로 가는 겁니까?"

"그건 아니지. 우리의 임무는 어디까지나 장주들 가족의 안전을 지키는 일이니까. 악양부는 강 장주와 설 장주께 맡겨 두면 될 거야."

"하지만 그러기에는 태극천맹과 금해가 정예들의 수가 너무 많다고 방금 말씀하셨잖습니까?"

"그러니까 강 장주가 어련히 알아서 할까. 다시 한번 말하지만 우리가 할 일은……."

양위와 심복들이 월동문에서 멀어졌는지 더 이상 대화 소리가 들리지 않게 되었다.

담호는 입술을 깨물며 심각한 표정을 지었다.

'무정검왕이라면 나도 들은 적이 있어.'

담호는 유 노대와 만해거사를 통해서 강호의 대소사나 강호의 고수들에 관한 이야기를 종종 듣고는 했다. 무림십왕이라든가 무정검왕에 관한 건 그때 들은 기억이 있었다.

'생각보다 더 위험하신 게 아닐까?'

담호는 그런 걱정을 하면서 다시 월동문을 통과하여 앞마당으로 향했다.

마차 주변에 대기하고 있다가 소년이 제 몸보다 더 큰 짐을 들고 걸어오는 걸 본 무사들이 황급히 달려와 짐을 나눠 받았다.

"고맙습니다."

담호는 꾸벅 인사했다.

"고맙기는."

무사들이 웃으며 말했다.

"참 기특도 하다니까. 나보다도 더 강한 녀석이 이렇게 예의까지 바르다니. 정말 자식을 갖게 되면 꼭 너 같은 녀석을 갖고 싶구나."

"그것도 씨가 좋아야 가능하지. 네 녀석의 씨로는 백 명의 자식을 가져도 안 돼."

"쳇. 누가 모른다냐? 어쨌든 아호 정도라면 능히 한 사람의 무인 몫을 해낼 수 있을 거야.”

무사들은 신나게 떠들며 마차에 짐을 실었다.

담호는 그들의 대화를 지켜 듣다가 뭔가 결심을 한 듯 크게 고개를 끄덕인 후, 다시 유운각으로 달려갔다.

아직 소년에게는 할 일이 있었다. 남은 짐들을 마저 정리하고 작은엄마와 보보, 담창을 챙겨야 했으니까.

멀리서 강만리의 고함이 들려왔다.

“아니, 헌원 노대! 내가 누누이 말했잖소? 그것들은 가지고 갈 필요가 없다니까! 그거 다 제자리에 가져다 놓고 요것만 챙기시오. 그걸로 충분하오!”

* * *

“그럼 대충 끝난 건가?”

강만리는 소매로 이마의 땀을 훔치며 마당을 둘러보았다. 마당에는 세 대의 사두마차와 오십여 필의 말들이 줄지어 서 있었다.

강만리는 세 대의 마차를 보고는 가볍게 눈살을 찌푸렸다. 두 대가 가장 좋기는 하지만 어쩔 도리가 없었다. 한 대의 마차에 짐을 싣고, 다른 한 대의 마차에 사람들이 타고 가기에는 화평장 식구들이 너무 많았다.

우선 강만리 가족인 예예와 강정부터 시작해서 화군악

가족인 정소흔과 화소군, 담우천의 가족인 소화와 담호, 담창, 담보보, 그리고 장예추의 아내인 당혜혜까지 해서 모두 아홉 명이 타야만 했다. 거기에 헌원중광과 만해거사까지 포함하면 모두 열한 명이 마차에 올랐다.

행여 어린아이들이라고 해서 자리를 적게 차지할 거라고 생각한다면 큰 오산이었다.

어린아이들은 한자리에 가만히 있지 않았다. 이리저리 옮겨 다니고 뛰어야만 직성이 풀리는 아이들을 한자리에 모아 두는 건 엄마들더러 지쳐 죽으라고 하는 것과 같았다.

그래서 두 대의 마차에 나눠 타고, 남는 자리에는 짐을 싣는 게 훨씬 효율적이라 할 수 있었다.

"그것만큼은 양보할 수가 없어요."

예예는 허리에 손을 얹은 채 강만리를 노려보며 그렇게 말했다. 강만리도 그럴 수밖에 없다고 생각하고 결국 고개를 끄덕여야만 했다.

"정말 고생했습니다. 마장주(馬場主)들이 우리가 급하게 말을 구한다는 걸 알고는 평소보다 두 배는 값을 더 부르는 바람에 약간의 실랑이도 있었습니다."

어느새 강만리의 곁에 다가온 고굉이 자랑스레 떠벌였다.

저 오십여 필의 말은 양위가 이끄는 북해빙궁 무사들과

고굉의 수하들, 그리고 강만리와 설벽린 등이 타기 위해 사 온 말들이었다.

"그래, 수고했다."

강만리는 칭찬을 바라는 고굉에게 칭찬을 해 준 후 다시 입을 열어 물었다.

"몇 명이 남기로 했지?"

"열 명이 남기로 했습니다. 각자 은자 백 냥씩 준다니까 스무 명 넘게 남는다고 해서 따로 뽑아야 했습니다. 식구가 많은 녀석들부터……."

"마장주에게는 뭐라고 했나?"

"아, 형님께서 당부하신 대로 별말 하지 않았습니다. 그저 초조하고 분노한 얼굴만 보여 주었습니다."

"그렇게 초조한 사람이 돈 갖고 실랑이를 벌여?"

"하, 하지만 너무 바가지를 씌우려고 해서……. 천하의 고굉을, 아니 천하의 형님을 뭐로 보고 그렇게 까부는지……."

"됐다. 어쨌든 고생했다. 다들 마차에 오른 것 같으니 이제 출발하기로 하자."

"아, 네."

고굉은 수하들을 향해 소리쳤다.

"모두 출발 준비를 한다!"

때마침 양위가 말 한 필을 끌고 다가와 보고했다.

"모든 준비가 끝났습니다."

"좋아."

강만리는 말에 올랐다. 그러자 양위와 고굉, 그리고 무사들이 모두 말에 올랐다. 정유도 말을 몰아 강만리 곁으로 다가왔다.

"그럼 이제 출발할…… 으음?"

강만리는 주위를 둘러보다가 문득 의아한 표정을 지었다. 말 한 필이 주인 없이 홀로 서성이는 걸 본 것이다.

"한 필이 남는데? 한 필 더 사 온 거야?"

"그럴 리가요."

고굉이 당황해하며 말했다.

"몇 번이고 수를 세서 구매했습니다. 딱 인원수에 맞춰서 사 왔거든요."

"그래? 그럼 누가 안 온 거지? 보이지 않는 사람이 누구야?"

"글쎄요. 우리 아이들은 다 있는데요."

"제 수하들도 모두 있습니다."

고굉과 양위가 수하들을 세어 보고는 그렇게 대답했다.

"그럼 도대체 누가……."

강만리가 그렇게 난감한 표정을 지을 때였다.

"잠깐만요!"

멀리서 설벽린이 짐을 들고 허둥지둥 달려왔다.

"이런."

강만리의 눈살이 절로 찌푸려졌다. 무얼 하고 온 건지 제대로 옷도 입지 못한 채 빠르게 달려온 설벽린은 가쁜 숨을 몰아쉬며 말에 올랐다.

"죄송합니다. 조금 늦었습니다."

"왜 늦었어?"

"아, 씻고 오느라고요."

"씻기는. 그거 땀 아니야?"

"아닙니다. 땀이라니요. 당연히 물기죠. 급하게 오느라 미처 닦지 못한 모양입니다."

설벽린은 얼른 땀을 닦아 내고는 황급히 옷을 갖춰 입으며 능글맞게 말했다.

"그럼 이제 출발하시죠. 제가 오면 다 온 거니까요."

강만리는 한마디 더 하려다가 마음을 바꿔 크게 소리쳤다.

"그럼 악양으로 출발한다!"

"와아!"

사람들이 일제히 함성을 내질렀다. 말들도 따라서 울음을 토하고 발을 굴렀다.

대문이 열리고 말과 마차들이 화평장을 빠져나왔다. 은자 백 냥의 보수를 받으며 화평장에 남게 된 무사들이 일제히 따라 나와 그들을 배웅했다.

이미 날은 어두워 한밤중이었다.

마차에는 등롱(燈籠)을 달았고, 선두와 후미에서 말을 모는 이들은 등불을 들었다. 그렇게 오십여 필의 말들이 세 대의 마차 앞뒤로 길게 늘어서 천천히 이동하기 시작했다.

후미에서 말을 몰던 강만리는 버드나무길을 벗어나는 순간 문득 뒤를 돌아보았다. 어둠 속에 화평장의 모습이 희미하게 보였다.

감회가 새로웠다.

저 거대한 장원을 짓기까지의 우여곡절이 떠올랐다. 동시에 장원에 들인 돈과 노력이 아깝다는 생각이 언뜻 들었다.

하지만 강만리는 이내 고개를 휘휘 내저었다.

'장원은 다시 지으면 되는 거다. 하지만 사람 목숨은 다시 만들 수가 없는 법.'

강만리는 그렇게 마음을 가다듬으며 아직도 배웅하고 있는 무사들을 바라보았다.

'음?'

일순 그의 고개가 갸우뚱거렸다.

'아란이 보이지 않네?'

워낙 정신없는 상황인지라 배웅을 하러 나온 이들 중에 아란의 모습이 보이지 않는다는 걸 잊고 있었던 것이다.

다시 한번 눈을 가늘게 뜨고 바라보았지만 역시 그녀의

모습은 보이지 않았다.

강만리는 설벽린을 향해 물었다.

"아란은 왜 안 보이지?"

"아란이요? 아, 그게……."

설벽린은 망설였다.

자신의 뛰어난 정력과 출중한 실력으로 콧대 높던 그녀를 혼절시켰다는 자랑을 하고 싶었지만, 그건 또 차마 함부로 입에 올릴 수 없는 자랑이기도 했다.

설벽린은 아무렇게나 얼버무렸다.

"잘 모르겠네요. 아마도 잠든 모양입니다."

"흠, 그래?"

강만리는 설벽린의 내심을 뚫어 보는 듯한 눈으로 그를 바라보았다.

설벽린이 어색하게 웃으며 강만리의 시선을 피하고는 이내 화제를 돌렸다.

"야반도주하기에는 딱 좋은 날이네요. 달도 별도 없이 컴컴하니 말입니다."

강만리가 인상을 찡그렸다.

"도대체 누가 야반도주를 한다는 거야?"

3장.

소리장도(笑裏藏刀)

"나도 몰라요."
십삼매는 살짝 화가 난 듯한 표정을 지으며 말했다.
"그 사람, 아무 말도 없이 제멋대로 도망쳤거든요."
루호는 속으로 한숨을 쉬었다.

1. 언제부터

성문은 새벽 묘시(卯時)에 열려서 저녁 유시(酉時) 말에 닫힌다. 한 번 닫힌 성문은 다음 날 새벽 묘시가 될 때까지 열리지 않아서, 아무리 급한 용무가 있어도 성을 빠져나가거나 들어올 수가 없었다.

물론 관인(官印)이 찍힌 통행증이 있다면야 모르겠지만, 그 늦은 시각에 관인을 찍어 줄 관원은 또 어디서 찾을 수 있겠는가.

하지만 세상에 예외 없는 일은 없다고, 성문을 통과하는 것도 마찬가지였다. 닫힌 성문 입구에는 불침번을 서는 관원들이 있었는데 그들에게 적지 않은 액수의 뇌물을 바치면 쪽문을 열어 주기도 했다.

하지만 그러다가 암행(暗行)을 하는 높은 관리에게 들키기라도 한다면 뇌물을 받은 관원은 물론, 그 관원의 상관, 아문의 총책임자까지 문책을 받게 될 수도 있었다.

그래서 어지간히 배짱 좋고 뇌물 좋아하는 관원이 아니라면 함부로 쪽문을 열어 주지 않았다.

그런데 지금 강만리는 쪽문이 아닌, 성의 정문을 열어 달라고 하는 것이다.

하기야 오십여 필의 말과 세 대의 사두마차가 통과해야 했으니 쪽문은 확실히 무리라 할 수 있었다.

이날 성문의 불침번을 맡은 책임자는 유남강(劉南江)이라는 포두로, 강만리가 성도부 포두로 재직했을 당시 그의 밑에서 포쾌 노릇을 하던 인물이었다.

"허어, 다 아는 사이끼리 너무 딱딱하게 이러지 말자. 내가 얼마나 급하면 자네에게 이런 부탁을 하겠나?"

강만리는 유남강의 어깨를 두드리며 웃었다. 유남강은 난감한 표정을 지은 채 어쩔 줄 몰라 했다.

"저, 그게…… 쪽문이라면 모르겠지만 정문을 여는 건 진짜 통행증이 없으면 안 된다는 거 대장도 잘 아시잖습니까?"

대장이라는 건 강만리의 포두 시절 별명이었다. 강만리의 밑에 있던 자들은 누구나 다들 그렇게 강만리를 불렀다.

강만리는 내심 한숨을 쉬고는 은원보 다섯 개를 꺼내 유남강에게 쥐여 주었다. 유남강은 은원보를 받아 쥔 채 허리를 뒤로 빼며 연신 고개를 흔들었다.

"아무리 이러셔도 안 되는 건 안 됩니다. 만약 상부에서 알게 되면 진짜 큰일 납니다. 정말 죄송합니다."

'은원보라도 돌려주면서 그렇게 말하든가.'

강만리는 다시 한숨을 내쉬었다. 그러고는 그를 잡아끌어서 귀에 대고 나직이 속삭였다.

"그럼 이렇게 하자. 내가 너를 협박해서 어쩔 수 없이 정문을 연 걸로 말이다."

"네?"

유남강의 눈이 휘둥그레지는 순간, 강만리는 단숨에 그의 팔을 뒤로 꺾으며 목을 졸랐다.

"켁!"

유남강의 입에서 얕은 비명이 흘렀다. 지켜보고 있던 포졸들이 움찔거리며 한 걸음 물러섰다. 강만리는 좁쌀만 한 눈을 호랑이의 그것처럼 부릅뜨면서 으르렁거렸다.

"당장 문을 열지 않으면 이자의 목숨은 없다!"

포졸들은 지금 강만리가 농담을 하는 건지 아닌지 갈피를 잡을 수 없어서 그저 서로를 돌아보며 어쩌지 못했다.

그러자 강만리가 다시 큰 소리로 외쳤다.

"급한 일로 인해 국법을 어긴 죄, 돌아오는 대로 그 대가를 받을 터이니 어서 문을 열라!"

하지만 여전히 포쾌들은 머뭇거리며 서로의 눈치만을 살폈다.

강만리가 유남강의 귀에 대고 소곤거렸다.

"어서 문을 열라고 해라."

유남강은 컥컥거리면서 입을 열었다.

"무, 문을 열어라. 이러다가 내가 죽겠다."

포졸들은 그제야 허둥지둥 움직였다.

끼이익.

한밤중, 모든 것들이 잠들어 있는 시각에 울려 퍼지는 그 소리는 생각 외로 커서, 성도부 사람들이 성문이 열리는 소리를 듣고 모두 잠에서 깰 것만 같았다.

강만리는 유남강의 목을 조른 채 세 대의 마차와 오십여 필의 말들이 성문을 통과하는 것을 지켜보았다. 유남강이 켁켁거리면서 그의 굵은 팔을 쳤다.

"이, 이제 놓아주셔도 되지 않겠습니까?"

"아, 미안."

강만리는 얼굴에 힘줄까지 선 유남강을 보고는 얼른 팔에서 힘을 빼며 사과했다. 겨우 숨을 돌리게 된 유남강은 쿨럭이며 연신 잔기침을 뱉어 냈다.

강만리는 유남강의 어깨를 두드리며 말했다.

"그럼 상부에는 내가 협박해서 어쩔 수 없이 문을 열었다고 보고하게."

"정말 그리 보고해도 괜찮겠습니까?"

"그래. 괜찮으니까 내 걱정은 하지 말고."

강만리는 말에 훌쩍 올랐다. 말은 거친 울음을 토해 내며 단숨에 성문을 통과했다.

유남강이 목을 쓰다듬으며 투덜거렸다.

"미련한 멧돼지 같은 녀석. 하여튼 조금만 수틀리면 바로 힘으로 해결하려 든다니까."

그는 연신 투덜거리다가 갑자기 포쾌들을 향해 인상을 쓰며 소리쳤다.

"뭣들 하고 있어? 얼른 문을 닫지 않고!"

포쾌들은 또다시 허둥지둥 움직이며 성문을 닫았다. 오랫동안 기름칠을 하지 않은 까닭에 성문은 예의 그 호곡성(號哭聲)처럼 끼이익 소리를 내며 천천히 닫혔다.

* * *

성문을 빠져나간 강만리 일행은 관도를 따라 곧장 악양부를 향해 질주했다.

이틀 만에 성도부를 벗어난 그들은 닷새째 되는 날 호광성 서쪽 외곽인 웅고현(雄高縣)에 이르렀다.

이틀 전부터 날씨가 끄물끄물하더니 그들이 웅고현에 당도할 무렵, 엄청난 폭우가 쏟아지기 시작했다.

웅고산(雄高山) 산자락을 타고 길게 이어진 관도는 이내 흙탕물이 되었고, 곳곳에 물웅덩이가 파여서 도저히 마차가 지나갈 형편이 되지 않았다.

"아무래도 비가 그칠 때까지는 움직이기 힘들 것 같습니다."

폭우를 뚫고 관도의 상황을 살피러 갔던 양위가 돌아와 보고했다.

강만리는 눈살을 찌푸리며 주위를 둘러보았다. 엄청난 양의 폭우가 계속해서 쏟아지는 가운데, 모든 이들이 비에 흠뻑 젖어 있었다.

"어쩔 수 없지. 비를 피할 수 있는 곳을 찾아서 휴식하기로 합시다."

강만리의 말에 양위가 기다렸다는 듯이 말했다.

"삼사 리 정도 앞으로 가면 아름드리 거목들이 우거진 곳이 나옵니다. 거기라면 충분히 비를 피할 수 있을 것 같습니다."

"그럼 그곳으로 안내하시오."

양위는 곧 마차 행렬을 이끌고 천천히 관도를 따라 이동했다. 행여나 깊이 파인 물웅덩이에 마차 바퀴가 빠질라 조심조심한 까닭에, 겨우 삼사 리에 불과한 거리를 반

시진이나 걸려 이동했다.

양위가 말한 대로 수십 장 높이의 거목들이 우거진 숲에는 오십여 필의 말과 세 대의 사두마차가 모두 들어가도 넉넉할 정도의 공터가 있었고, 마치 거대한 우산(雨傘)이 펼쳐져 있는 것 같아서 맹렬하게 퍼붓는 폭우조차 쉽게 뚫어 내지 못하고 있었다.

양위는 마차와 말들을 한쪽으로 정렬한 후 수하들과 함께 용케도 이 폭우 속에서 비에 젖지 않은 나무들을 구해와 모닥불을 피웠다.

양위는 그 위로 솥단지를 올리고 물을 부은 다음, 말린 고기와 쌀을 부어 고기죽을 끓이기 시작했다.

그의 움직임에 전혀 막힘이 없고 워낙 능수능란해 보여서 강만리는 홀린 듯이 그 광경을 지켜보았다.

"이런 험한 야숙을 많이 해 봤나 보오."

강만리의 말에 양위가 미소를 머금으며 말했다.

"북해의 야숙에 비하면 이건 절대 험한 게 아닙니다."

"흠, 그렇구려."

강만리는 고개를 끄덕인 후 한동안 양위의 움직임을 더 지켜보다가 자리를 떴다. 화평장 식구들이 타고 있는 마차로 향한 그는 문을 열고 안을 들여다보았다.

어린아이들은 엄마들의 품에서 곤히 잠자고 있었다. 예예를 비롯한 여인네들은 피곤한 기색으로 강만리를 돌아보았다.

당당한 무림의 여식들이었지만 하루 종일 좁은 마차에서 아이들의 투정을 받아 주고 놀아 주고 달래야 하는 건 결코 쉬운 일이 아니었다.

그런 면에서 소화는 실로 대단했다. 체력도 약하고 무공도 익히지 않은 그녀는 보보와 담창은 물론 다른 아이들까지 돌보면서도 전혀 지친 기색을 보이지 않았다.

물론 거기에는 담호의 도움이 매우 컸다. 담호는 보보를 안아서 재울 줄도 알았고, 온종일 마차에 갇혀 있는 담창이 지겨워할 때 함께 놀아 줄 줄도 알았다.

예예를 비롯한 여인들은 그런 담호를 두고 감탄을 연발했다. 담호는 이미 어린아이가 아니었다. 그는 한 사람 몫을, 아니 두 사람 몫까지 충분히 해내고 있었다.

지금도 그랬다. 강만리가 마차 문을 열고 안을 들여다보았을 때, 담호는 강만리의 아들인 강정을 등에 업고 재우는 중이었다.

'왜 아호에게 아정을 맡기고?'

강만리가 살짝 눈살을 찌푸리며 예예를 바라보자 그녀는 다 죽어 가는 목소리로 말했다.

"당신이 한 번 아정과 닷새 동안 이 비좁은 마차 안에서 생활해 봐요. 그나마 아호가 도와줘서 겨우 버티고 있는 중이라고요."

강만리는 한 소리 하려던 입을 얼른 다물었다. 불과 반나절 같이 놀아 주고서 온몸에 기력이 모두 빠졌던 기억이 떠올랐던 까닭이었다.

'아정 저 녀석이 워낙 활달하기는 하지.'

강만리는 입을 다문 채 담호를 향해 한쪽 눈을 찡긋하며 고맙다는 시늉을 했다. 담호가 소리없이 웃었다. 강만리는 조심스레 문을 닫다가 문득 고개를 갸웃거렸다.

'그런데 언제부터 예예가 나를 당신이라고 불렀지?'

처음 만났을 때의 호칭은 아저씨였다. 아저씨가 오빠가 된 건 그녀와 몸을 섞은 후 한참이 흘러서였다.

혼인도 하고 아이도 가졌지만 계속해서 그녀는 강만리를 오빠라고 불렀다. 그런데 어느 순간부터 그녀는 오빠 대신 당신이라는 호칭을 사용하고 있었다.

'뭐, 그게 꼭 나쁘다는 건 아니지만…….'

왠지 허전하고 아쉬운 기분을 뒤로한 채 강만리는 다시 모닥불 가로 걸어갔다. 양위가 준비한 고기죽이 맛있는 냄새를 풍기며 부글부글 끓고 있었다.

2. 진짜 속내

굳이 저 황계의 대단한 정보력을 동원하지 않아도 될

정도로, 강만리가 화평장 모든 식솔을 이끌고 야반도주했다는 사실은 금세 성도부 전역에 퍼졌다.

강만리가 유남강을 협박하여 성문을 열고 도주한 다음 날 아침, 식사를 하다가 그 소식을 들은 허 노야는 들고 있던 밥그릇을 집어 던졌다.

"장원 사람들 모두 사라진 겐가?"

허 노야에게 소식을 전한 루호는 고개를 숙인 채 대답했다.

"화평장에는 십여 명의 무사들이 남아서 장원을 지키고 있다 합니다. 아, 아란 소저도 남았다고 합니다."

"아란? 아란이 누군데?"

"한때 흑개방에 있던 처자로 현재 강 장주의 밑에서 연풍회라는 정보 조직을 운영하고 있습니다."

"흥! 그깟 계집은 아무 소용 없다. 강만리 그 녀석의 가족들이 모두 사라졌다는 게 문제인 게지."

허 노야는 스산한 눈빛을 번뜩이며 중얼거렸다.

"아무래도 이 바닥을 뜬 게 확실한 모양이로구나."

루호는 가만히 듣고 있다가 조심스레 물었다.

"대륙 어디를 가더라도 우리 손아귀에 있는 건 매한가지인데 굳이 이곳 성도부를 뜰 이유가 있을까요?"

"그럼 뭣 때문에 가족을 모두 이끌고 야반도주를 했다고 생각하느냐?"

"십삼매에게 듣기로는 악양부에서 사건이 터졌다고 합니다. 담우천과 화군악, 장예추 등이 무정검왕을 비롯한 태극천맹 무사들과 금해가 무사들과 한바탕 치열한 싸움을 벌였고 그 와중에 황계 악양 지부가 괴멸했다고 합니다."

"응? 나는 왜 그 이야기를 처음 듣지?"

"안 그래도 오늘 아침 보고에 말씀드리려 했습니다만 강 장주의 일을 먼저 보고하느라 늦었습니다."

"흥."

허 노야는 마음에 들지 않는다는 듯이 코웃음을 치고는 잠시 생각하다가 입을 열었다.

"그럼 네 생각은?"

"아마도 그들을 돕기 위해 악양부로 향한 게 아닌가 싶습니다. 그렇지 않고서야 그렇게 모든 이들이 다 알게끔 일을 벌여 가면서까지 성문을 빠져나갈 리가 없을 테니까요."

"워낙 다급해서 성문을 지키는 포두를 협박하고 그랬다?"

"그럴 거라고 생각합니다."

"하지만 그렇다면 왜 가족들을 모두 데리고 간 게지?"

"그건……."

루호는 잠시 머뭇거리다가 솔직하게 제 의견을 이야기했다.

"가족들만 달랑 남아 있게 되면 당연히 우리나 십삼매의 보호를 받아야 할 테고, 강 장주는 그걸 보호가 아니라 억류, 혹은 인질로 생각한 모양입니다."

"무슨 개소리! 억류는 뭐고, 인질은 뭐야? 그럴 생각이 있었다면 처음부터 억류시키고 인질로 삼았겠지. 우리를 도대체 뭘로 보고 그런 생각을 하는 게야?"

"어디까지나 속하의 추측에 불과합니다."

"아니다. 평소 그 누룩돼지 같은 녀석의 성격을 보건대 능히 그렇게 생각했을 것 같구나."

허 노야는 씩씩거리다가 겨우 화를 억누르며 물었다.

"그럼 가족들까지 데리고 악양부로 갈 리는 없겠지?"

"그럴 겁니다. 중간에서, 아니면 어딘가에 믿고 맡길 만한 이들을 찾아서 따로 보호하고자 할 겁니다."

"평생 사천 성도부에서 살아온 녀석이 외지에 믿을 사람이 어디 있다고…… 아! 군악이라는 녀석의 마누라가 무당파 장문인의 딸이라고 했지?"

"그렇습니다."

"흠, 무당파라면…… 가능성이 있겠군. 악양부에서 그리 멀리 떨어지지도 않았거니와 적의 공격을 막아 낼 힘도 지니고 있으니까."

그렇게 중얼거리던 허 노야는 갑자기 화가 치밀어 오른 듯 주먹으로 탁자를 내리치며 소리쳤다.

"아니, 우리를 놔두고 무당파에게 신변을 요청하겠다, 이건가? 그럼 결국 뭐야? 우리를 믿지 못하겠다, 아니 우리를 적으로 생각한다, 결국 이 뜻이 아니냔 말이지!"

루호는 아무 대답 없이 고개를 숙였다. 허 노야는 이를 갈며 말했다.

"흠! 놈이 우리를 그리 생각한다? 좋아, 그렇다면 그리 해 주지. 앞으로 놈들에 대한 지원은 모두 끊고 그 어떤 도움도 주지 않을 것이야!"

"하지만……."

루호가 감히 입을 열었다.

"하지만은 무슨 하지만이냐!"

허 노야가 버럭 소리쳤다. 루호는 입을 다물고 고개를 숙였다.

혼자 씩씩거리던 허 노야는 애써 화를 가라앉히며 말했다.

"하지만 뭐냐?"

루호가 조심스레 말했다.

"어쨌든 그들은 태극천맹과 오대가문을 상대하기 위해 우리가 만든 병기들이 아니겠습니까? 그러니 목적을 달성할 때까지는 굳이 내칠 필요가 없다고 생각합니다. 어차피 그들의 운명은 오대가문과 싸우다가 공멸할 수밖에 없으니까요."

“으음. 그건 그렇지. 하지만 그래도 화가 치밀어 오르는 건 어찌할 수 없지 않느냐? 귀여워해 주던 강아지가 버르장머리 없이 기어오를 때는 걷어차서 버릇을 고쳐 줘야 하는 법이다.”

“그럼 우리에게 다른 생각을 하지 못하게끔 따끔하게 혼을 내 주는 게 낫지 않을까 싶습니다. 가령 우리의 힘이 이 정도이니 감히 함부로 기어오를 생각은 하지 말라는 식으로 말입니다.”

“호오. 그래, 그게 낫겠구나.”

허 노야는 흥미가 당긴다는 듯 몸을 앞으로 내밀며 물었다.

“그래, 어떤 방법이 좋겠느냐?”

루호는 잠시 생각하다가 입을 열었다.

“가령 강 장주의 식구들을 납치해 온다든가, 아니면…….”

“오호! 그게 좋겠구나. 그래, 다른 건 들을 필요도 없다. 강만리 그 녀석의 식구들을 다시 이곳으로 데리고 오는 거다. 녀석이 악양부에서 제 동료들을 구하는 동안 말이지. 음? 푸하하하. 그것참 재미있겠다.”

허 노야는 껄껄 웃으며 연신 고개를 끄덕였다.

“기껏 동료들을 구한 후 식구들을 만나러 갔더니 그곳에 없다? 그때 놈이 느낄 당혹과 혼란을 생각하니 벌써부터 기분이 좋구나.”

루호는 머뭇거리며 입을 열었다.

"그러려면 십삼매의 도움이 필요합니다."

"응? 그건 또 왜?"

"강 장주의 식구들이 어디에 있는지 알아야 하니까요."

허 노야는 고개를 끄덕였다.

무당파에 신변을 요청하지 않을까 예상은 됐지만, 그건 말 그대로 예상에 불과했다.

"그렇기는 하지. 생긴 건 누룩돼지 같은 것이 속에 구렁이 열두 마리 정도는 들어가 있는 놈이니까. 하지만 그 영악한 계집에게 빚을 지는 건 싫은데. 나중에 뭘 요구할지 모르니까 말이지."

허 노야가 싫은 기색을 내비치자 루호가 얼른 입을 열었다.

"그럼 두 번째 방법으로 우리가 악양부의……."

"아니, 됐다."

허 노야가 손을 내저으며 말했다.

"뭐든 요구하라고 하면 되지. 좋아, 십삼매에게 부탁해서 확실하게 알아봐라."

"그리하겠습니다."

루호는 입 밖으로 흘러나왔던 두 번째 방법을 다시 목구멍 깊숙하게 집어넣은 후 허리를 숙였다.

* * *

"나도 몰라요."

십삼매는 살짝 화가 난 듯한 표정을 지으며 말했다.

"그 사람, 아무 말도 없이 제멋대로 도망쳤거든요."

루호는 속으로 한숨을 쉬었다. 하지만 겉으로는 여전히 무심하고 담담한 어조로 이야기했다.

"그럼 황계의 조직망을 동원하여 그들의 행적을 수소문해 주십시오."

"왜죠?"

십삼매도 어느새 차분하고 깊어진 눈빛으로 루호를 바라보며 물었다. 루호는 대답했다.

"허 노야의 부탁입니다."

십삼매는 아랫입술을 내밀었다. 그러고는 묘한 미소를 지으며 입을 열었다.

"허 노야가 내게 부탁을 했다고요?"

"그렇습니다."

"이상하네. 그 노인네 희한한 부분에서 자존심이 높아서 내게 부탁 같은 거 할 사람이 아닌데 말이죠."

루호는 입을 다물었다. 십삼매는 가만히 루호를 바라보다가 이내 알겠다는 표정을 지으며 다시 말을 이었다.

"도로 데리고 오려는 거죠?"

루호는 다시 속으로 한숨을 쉬었다.

'강 장주가 능구렁이 열두 마리라면 이 여인의 속에는 최소 스무 마리 정도는 들어 있을 거야.'

루호는 그렇게 생각하며 말했다.

"그건 말씀드릴 수 없습니다."

"말하지 않아도 돼요."

십삼매는 길쭉하고 늘씬한 다리를 꼬며 말했다.

"평소 허 노야의 성격이라면 강 오라버니의 야반도주를 듣고 아마도 불같이 화를 냈겠죠. 그들을 잡아 죽이거나 최소한 그들과 연을 끊겠다면서 말이에요."

십삼매는 루호에게서 시선을 떼지 않은 채로 말을 이어 나갔다.

"그리고 당신은 어떻게든 허 노야를 진정시킨 후 차선의 방책을 내놓았을 거고, 그게 바로 강 오라버니의 식구들을 다시 성도부로 데리고 오는 것일 테고요."

그녀는 마치 허 노야와 루호가 대화를 나누던 자리에 합석했던 것처럼 정확하게 추측하고 있었다.

"음, 허 노야의 화를 가라앉히게 한 건 좋았지만 그 대책으로 내세운 방법은 틀린 것 같네요. 만약 강 오라버니의 식구를 납치해서 데리고 온다면 그때는 진짜 무림오적과 척을 지게 될 테니까요."

루호는 말없이 가만히 듣기만 했다.

"차라리 강 오라버니께 압도적인 힘을 보여 줘서 두 번 다시 다른 생각을 하지 못하게 만드는 방법을 제시했어야 해요. 가령 이번 악양부 사건을 유령교 측에서 나서서 완벽하게 매조지하는 식으로 말이죠."

루호는 속으로 중얼거렸다.

'나도 그 방법을 제시하려고 했지. 문제는 처음 제시한 방법만 듣고 허 노야가 곧바로 채택했다는 것일 뿐.'

십삼매는 그런 루호의 무심한 표정을 가만히 지켜보다가 고개를 끄덕이며 말했다.

"그러니까 틀렸다는 거예요. 두 번째 방법을 먼저 제시했어야 했어요."

처음으로 루호가 움찔거렸다.

"혹시 내 목소리가 새어 나왔습니까?"

처음으로 십삼매가 웃었다.

"아뇨. 표정에 드러나서요."

'이런.'

루호의 무표정한 얼굴이 씰룩거렸다.

언제 어느 때나 무표정한 얼굴이 루호의 상징이라 할 수 있었는데, 십삼매는 그 무표정한 얼굴에서 새어 나오는 희미한 변화를 알아차리고 있었다.

'좀 더 정진해야겠구나.'

루호가 그렇게 마음먹을 때, 십삼매가 고개를 끄덕이며 말했다.

"어쨌든 알겠어요. 그 부탁 받아들이죠."

루호는 십삼매를 바라보았다. 십삼매는 의미 모를 미소를 지으며 말을 이었다.

"허 노야에게 받게 될 빚이라니, 제법 나쁘지 않으니까요. 게다가 사실 안 그래도 궁금하던 참이었으니까요. 강 오라버니의 진짜 속내가 어떤지 말이에요."

3. 자격지심

사실 그날은 십삼매도 바빴다.

루호가 찾아오기 전, 그러니까 아침 일찍 강만리의 야반도주 사건을 보고받은 그녀는 곧장 화평장으로 달려갔다. 무슨 일이 벌어졌는지 직접 자신의 두 눈으로 확인하고 싶었던 까닭이었다.

화평장에는 아란이 위정전 대청을 독차지하고 있다가 그녀를 맞이했다.

그녀는 마치 이곳의 새로운 주인처럼 오만하고 위엄 넘치는 자세로 상석에 앉아서 십삼매를 마주했다. 십삼매는 언제나처럼 차분하고 조용하게 자리에 앉았다.

"그래, 무슨 일이세요? 황계의 주인이 예까지 다 찾아 오시고요."

아란의 물음에 십삼매는 방긋 웃으며 말했다.

"호랑이 없는 산에 여우가 주인 노릇을 한다더니 꼭 그 모습을 보는 것 같네."

아란도 방긋 웃으며 말했다.

"어머나, 저를 그렇게 높이 평가해 주셔서 너무 감사해요. 솔직히 여우가 아닌 생쥐 정도로 평가받을 줄 알았거든요."

"그래도 강 오라버니의 비호를 받는 사람에게 어찌 생쥐 운운할 수 있겠어?"

"아, 그러니까 제가 호가호위(狐假虎威)한다는 거네요. 역시 언니는 저를 여우라고 생각하시나 봐요."

"여우라는 게 그리 기분 좋아?"

"언니도 여우라는 별명을 지니고 있지 않아요?"

그랬다. 십삼매의 별호는 몽중호리(夢中狐狸), 선녀처럼 아름답고 창녀처럼 음탕하면서, 여우처럼 교활하고 늑대처럼 잔인하다고 해서 붙여진 별호가 바로 그것이었다.

십삼매는 가볍게 한숨을 내쉬며 도리질했다.

"정말 전혀 지지 않으려고 하는구나."

"그래요."

아란이 웃으며 말했다.

"사실 언니에게는 지고 싶지 않거든요. 머리 회전이나 사업 능력이나 사내 유혹하는 거나 모두요."

"뭐 한 가지 나보다 뛰어난 게 있기는 하지."

"그게 뭔데요?"

"분수를 모르는 것."

"오호호호."

아란은 크게 웃었다. 십삼매는 소리 없이 웃었다. 그렇게 서로 화기애애하게 웃고 있지만, 장내의 분위기는 더 없이 살벌했다. 심지어 살기까지 번들거리고 있었다.

소리장도(笑裏藏刀).

웃음 뒤에 칼을 숨겨 놓은 형국이었다.

"이제 본론으로 들어가자."

십삼매는 여전히 미소를 머금은 채 말했다.

"강 오라버니 어디 간 거야?"

"설마 그것도 모르셨어요?"

아란은 고개를 갸웃거리며 말했다.

"강 오라버니는 언제나 언니에게 모든 걸 상의한다고 생각했는데 꼭 그런 것만은 아닌가 보네요."

"자꾸만 귀찮게 하지 마. 이래 봬도 꽤 시간에 쫓기는 몸이니까."

"그건 저도 마찬가지예요. 이 화평장을 관리해야 하지,

연풍회의 세력도 키워야 하지, 정말이지 몸이 열 개라도 부족하거든요."

"그러니까 얼른 이야기를 끝내는 게 서로에게 낫지 않겠어? 강 오라버니는 어디 간 거야?"

"악양부요."

"강 오라버니의 식구들은?"

"비밀이에요."

아란은 어깨를 으쓱거리며 말했다.

"제게도 이야기하지 않으셨거든요. 누구도 화평장 식구들이 어디에 있는지 알면 안 된다고 하면서 말이에요. 특히 십삼매와 허 노야가 알게 되면 큰일이라고 새삼 강조까지 하셨어요."

십삼매는 가만히 아란을 바라보았다.

'말로 해서 지니까 이번에는 눈싸움이라도 하자는 거야?'

아란은 기세등등하여 그녀의 눈을 똑바로 노려보았다.

하지만 얼마 가지 못해서 아란은 저도 모르게 눈을 깔고 말았다.

한없이 순수하고 맑은 십삼매의 눈빛 깊숙한 곳에서 새어 나오는 메마른 살기를 도저히 감당할 수가 없던 까닭이었다. 아란의 등골을 타고 오싹 소름이 돋았다.

"거짓말은 아니네."

눈을 돌린 아란의 귓전으로 십삼매의 차분한 목소리가 들려왔다.

"적어도 그들의 행적을 모르는 건 사실이구나."

아란은 내심 발끈하여 다시 십삼매를 쳐다보며 말했다.

"당연하죠. 제가 왜 언니에게 거짓말을 하겠어요?"

십삼매는 빙긋 웃으며 대답했다.

"내게 자격지심이 있으니까."

"자격지심이요?"

"그래. 날 동경하고 날 쫓아오고 싶고 날 따르고 싶은데, 그럴 능력이 안 되니까 나를 도발하고 어떻게든 나를 이겨보려고 애쓰는 흉내를 내는 거지. 그런 걸 자격지심이라고 하는 거란다."

"하하하."

아란은 크게 소리 내어 웃었다. 그녀는 이내 정색하며 매서운 어조로 말했다.

"언니, 너무 자신을 과대평가하는 게 아니에요? 내가 왜 언니를 동경하고 쫓아가고 싶어 한다고 생각하세요?"

"글쎄. 그야 나도 모르지. 나보다 너 자신에게 물어보는 게 더 현명한 질문이기도 하고."

십삼매는 자리에서 일어나며 말을 이었다.

"그럼 계속해서 아무도 없는 곳에서 여왕 노릇이나 하

렴. 나는 갈 테니까."

일순 아란의 눈빛이 표독하게 빛났다. 그녀도 따라서 자리에서 일어나며 말했다.

"그런데 언니."

십삼매가 그녀를 돌아보았다. 아란은 방긋 웃으며, 하지만 독살스러운 눈빛으로 십삼매를 노려보며 말했다.

"조금 전 제가 언니보다 뛰어난 게 하나라고 하셨죠?"

"그런데?"

"틀리셨어요. 최소한 하나 더 있으니까요."

십삼매가 고개를 갸웃거리며 물었다.

"그게 뭔데?"

"이거요."

라고 아란이 대답하는 순간, 그녀는 보법을 펼쳐 순식간에 십삼매의 지근 거리까지 다가갔다. 그러고는 빠르게 손을 뻗어 십삼매의 목을 쥐며 말을 이었다.

"바로 이 무공이죠. 안타깝게도 언니는 무공을 펼칠 수 없다면서요?"

십삼매는 아란에게 목을 조인 상황에서도 미소를 잃지 않았다.

"너는 하나만 알고 둘은 모르는구나."

아란은 그게 무슨 뜻이냐고 물어보려 했다. 하지만 바로 다음 순간 아란의 안색이 창백해졌다. 그녀의 명문혈을 찌르는 날카로운 감촉을 느꼈던 것이다.

십삼매는 천천히 손을 들어 아란의 손을 걷어 냈다. 아란은 순순히 십삼매의 손짓에 따라 손을 내렸다. 만약 조금이라도 반항을 한다면 부지불식간에 그녀의 명문혈이 파괴될 테니까.

십삼매는 미소를 머금은 채 말했다.

"죽고 싶지 않으면 앞으로 반드시 명심하렴. 나는 무공을 모르지만 내 수하는 그 누구보다도 강하다는 걸."

십삼매는 그 말을 남기고 위정전을 떠났다. 그녀가 대청을 빠져나가자 아란의 명문혈을 찌르고 있던 날카로운 무언가도 거짓말처럼 사라졌다.

아란은 황급히 뒤를 돌아보았다. 믿을 수 없게도 그 자리에는 아무도 존재하지 않았다. 새파랗게 질린 얼굴의 아란이 발작적으로 소리쳤다.

"밖에 누구 없느냐?"

기다렸다는 듯이 그녀의 심복이 뛰어 들어왔다. 아란이 발을 구르며 물었다.

"방금 이곳에서 침입자를 보지 못했어?"

그녀의 심복은 고개를 갸우뚱거리며 대답했다.

"십삼매 말씀하시는 건가요?"

아란은 입술을 깨물다가 고개를 저었다.

"아니, 됐어. 그만 나가 봐."

"네."

심복이 자리를 떴다.

순간 아란은 그만 다리에 힘이 풀려 제자리에 주저앉고 말았다. 뒤늦게 온몸이 부들부들 떨려 왔다.

허세처럼 그녀를 채우고 있던 자신감이 송두리째 빠져나갔지만, 아란은 이를 악물고 자리에서 일어나려 했다.

예서 일어서지 못하면 두 번 다시 십삼매 앞에 마주 설 수 없다는 절박감이, 빠져나간 자신감 대신 그녀를 일으켜 세우려 하고 있었다.

4장.

한 사람의 몫

"이제는 누가 너를 챙겨 주지도 않을 것이니 네 앞가림은 네가 해야 한다.
또한 그 어떤 일이 있더라도 계집애처럼 울거나 나약한 모습은 보이면 안 되고,
누가 시켜서 하기 전에 먼저 일거리를 찾아서 해야 한다.
또 네 생각만 하지 말고 주변 사람을 챙길 줄 알아야 하며,
네 안전보다 동료와 가족의 안위를 먼저 생각해야 한다. 알겠느냐?"

한 사람의 몫

1. 장남인 네가

세상을 집어삼킬 것처럼 쏟아지던 폭우가 그친 후, 강만리 일행은 다시 관도를 따라 약양부로 향했다. 관도를 오가는 행인들은 그 엄청난 행렬을 보고 그들의 신분과 정체에 대해서 궁금해했다.

오십여 필의 말을 탄 무사들이 세 대의 마차를 호위하는 행렬은 확실히 누가 보더라도 장관이었고, 또 어떤 부류의 사람들에게 있어서는 더없이 구미 당기는 사냥감이기도 했다.

"산적들이라는 게 마냥 무식하고 단순하지만은 않거든. 나름대로 머리 굴려 가면서 계획도 짜고, 상대와 자신의 무력(武力)을 비교하기도 하고, 그렇게 노략질을 하는 거지. 구미 당기는 사냥감이 있다고 해서 무작정 달려들지는 않거든."

강만리는 느닷없이 기습을 펼쳤다가 혼비백산 달아나는 산적들을 바라보며 흐흐 웃었다.

"뭐, 물론 저런 멍청한 산적이 없는 것도 아니지만."

웅고산 고갯길을 넘어가는 도중이었다.

갑자기 "와아!" 하는 소리와 함께 백여 명의 산적들이 우르르 몰려들었다.

"허어. 이런 멍청한 놈들이 다 있나?"

강만리는 헛웃음을 흘리며 그들이 하는 양을 가만히 지켜보았다.

산적들은 강만리 일행을 앞뒤로 에워싼 후 칼과 녹슨 낫과 호미, 도끼를 휘두르며 소리쳤다.

"가진 것을 다 내놓고 사라지면 목숨만은 살려 주마! 물론 말들도 다 놔두고 가라!"

강만리 일행은 어이가 없다 못해 황당하기까지 해서 웃지도 못했다. 산적들은 그걸 보고 겁에 질려 아무런 말도 하지 못한다고 생각한 듯 더욱 흉흉하게 인상을 쓰며 소리쳤다.

"아! 계집도 있으면 남아야 한다! 녹림칠십이채 중의 하나인 이 웅고채(雄高寨) 어르신들의 수발을 들어야 하니까!"

양위 휘하의 무사 중 한 명이 중얼거렸다.

"진짜 녹림칠십이채 중 하나야?"

다른 무사가 말을 받았다.

"그럴 리가. 그래도 듣기로는 녹림칠십이채가 대단하다고 했는데, 이런 바보들이 거기에 끼어 있을 리가 없겠지."

"하지만 녹림칠십이채가 아니면서 그렇게 주장하다가 들키면 몰살당한다고 하지 않았나?"

"흠, 그런 이야기를 듣기는 했지. 워낙 많은 어중이떠중이가 함부로 녹림칠십이채를 입에 올린다고 해서, 아주 엄하게 단속한다고 했던가?"

"내 말이 그걸세. 저렇게 당당하게 녹림칠십이채 운운하는 걸 보면 어쩌면 진짜 녹림칠십이채 중 하나일지도."

북해빙궁의 무사들은 지금껏 이야기만 들었지, 단 한 번도 녹림칠십이채 사적들을 만나 본 적이 없었다. 그래서 나름대로 흥미진진하게 산적들에 대해서 논의했다.

산적들은 몇 번이나 겁박하면서 도망치라고 종용했음에도 불구하고 강만리 일행이 여전히 가만있자, 더는 참을 수 없다는 듯이 손에 든 무기를 휘두르며 외쳤다.

"마지막으로 기회를 주겠다. 열을 헤아리기 전에 가진 것 모두 내려놓고 사라지지 않는다면 그때는 이 어르신들의 손속이 얼마나 악랄한지 보여 줄 것이다!"

선두에 선 산적이 크게 외쳤다.

"하나! 둘!"

숫자는 금세 다섯을 헤아렸다. 하지만 여전히 강만리 일행은 움직이지 않았다. 숫자를 세는 산적의 외침이 조금씩 느려졌다.

"여섯! 이게 마지막 경고다! 일곱! 이 어르신들이 자비를 베푸는 것이니 얼른 도망쳐라!"

이런 식으로 숫자가 열에 가까워질수록 산적의 입에서 쓸 곳 없는 이야기들이 칡넝쿨 이어지듯 주렁주렁 달려 나왔다.

언제 열을 헤아리나 지켜보고 있던 무사들이 지쳐 갈 때 즈음, 강만리의 입이 먼저 열렸다.

"네 이놈들!"

한껏 내공을 실어 뿜어낸 사자후(獅子吼)와 같은 고함이 웅고산 고갯길에 쩌렁쩌렁 울려 퍼졌다.

바로 앞에서 천둥 같은 고함이 터지자 산적들은 깜짝 놀라 혼비백산했다. 대부분의 산적들은 고막이 터지는 것 같아 귀를 막고 비틀거렸으며 몇몇 산적들은 아예 쇠꼬챙이를 집어 던지고 바닥에 주저앉거나 쓰러졌다.

"셋을 헤아릴 때까지 도망치지 않으면 모두 죽여 버릴 것이다!"

강만리는 연거푸 사자후를 터뜨렸다.

“하나! 둘! 세…….”

미처 셋을 헤아리기 직전, 산적들은 두 손으로 머리를 감싸 쥔 채 허둥지둥 사방으로 흩어져 도망쳤다. 그나마 강단 있거나 혹은 아직도 상황 파악이 안 된 산적들이 남아서 그 자리에 버티고 있었다.

하지만 강만리가 장력을 날려 고갯길 옆 아름드리 거목을 박살 내는 광경을 보고는 사색이 된 채 오줌까지 지리며 도망치기에 급급했다.

그 광경을 보면서 강만리는 문득 수년 전의 기억이 떠올랐다.

당시 강만리는 황궁에 보내는 예물을 호위하는 임무를 맡아 북경부로 가던 참이었고, 마침 산적을 만나 한바탕 크게 싸움을 벌인 적이 있었다.

“그때 그 산적들은 나름대로 이것저것 궁리해서 함정도 만들고, 또 근처 산적들과 연합해서 세력도 불리고 했었는데 말이지.”

강만리는 입맛을 쩝쩝 다시며 중얼거렸다.

“세상이 어수선해서일까. 산적 같지 않은 산적들이 너무 많아졌다니까.”

그 말을 끝으로 다시 행렬의 이동이 시작되었다.

고갯길을 넘자 거대한 평야가 모습을 드러냈다. 평야를

지나고 다시 산허리를 휘어 감은 길을 따라서 이동하기를 며칠, 이윽고 그들은 거대한 동정호가 마주해 있는 상덕현(常德縣)에 당도했다.

"이곳에서 육로를 택하면 동정호를 크게 돌아야만 악양부에 도달합니다. 그러니 수로를 이용하시는 게 하루 정도 더 절약됩니다."

양위는 강만리에게 그렇게 말했다.

상덕현은 동정호의 서쪽 끝자락에 위치한 마을이었고 악양부는 동정호 동북쪽 끝단에 자리한 성시(城市)였다. 육로로는 최소 이틀 걸릴 거리였지만 배를 타면 하루 정도 걸릴 것이다.

"그럼 예서 갈라져야겠군."

강만리는 고개를 끄덕인 후 양위를 돌아보며 말했다.

"무당산이 있는 북쪽으로 가는 척하다가 중도에서 동쪽으로 방향을 틀어 하남, 하북을 지나 북해로 빠지시오. 황계 지부가 있을 만한 성읍(城邑)은 되도록 멀리하고, 아, 조그만 상단(商團)의 행렬로 변장하는 것도 잊지 마시오."

"명심하겠습니다."

강만리는 양위의 두 손을 덥썩 잡으며 당부했다.

"아이들과 여인들, 믿고 맡기겠소."

양위는 얼굴에 결연의 빛을 띠며 대답했다.

"목숨을 바쳐서라도 지키겠습니다."

강만리는 양위의 어깨를 두드렸다. 양위는 허리를 숙여 인사를 한 후 고굉과 무사들에게 차후 일정에 대해 알려 주려 자리를 떴다.

강만리는 곧장 마차로 향했다.

마차 주변에는 오래간만에 밖으로 나온 아이들이 고삐 풀린 망아지처럼 이리저리 뛰어노는 가운데, 피곤한 기색을 감추지 못한 여인들이 모여서 휴식을 취하고 있었다.

강만리는 여인들을 향해 고개를 숙이며 말했다.

"고생들 하셨습니다."

제일 나이가 많은 정소흔이 퀭한 눈으로 그를 쳐다보며 방긋 웃었다.

"고생이야 아주버님이 제일 심했죠."

"아닙니다. 저 망아지 같은 아이들과 비좁은 공간에서 닷새 이상 보낸다는 것이 절대 쉬운 일이 아니라는 걸 잘 알고 있습니다. 정말 고생 많으셨습니다."

강만리는 엉덩이로 가려던 손길을 거둬서 머리를 긁적이며 말을 이었다.

"하지만 앞으로 조금 더 고생해 주셔야 하겠습니다. 물론 지금까지와는 달리 여정 틈틈이 쉬어 가면서 아이들이 뛰어놀 수 있을 겁니다."

여인들의 눈빛이 반짝였다.

강만리의 말을 통해 서로 헤어질 시간이 임박했다는 사실을 눈치챈 것이다.

"우리 남편들, 잘 부탁드려요."

정소흔과 소화, 당혜혜가 자리에서 일어나 허리를 숙이자, 강만리는 황급히 마주 인사하며 말했다.

"걱정하지 않으셔도 될 겁니다. 아니, 외려 걱정해야 할 상대는 금해가와 태극천맹의 무사들입니다. 그 무시무시한 천방지축 말썽꾸러기들을 상대로 싸워야 하니 말입니다."

강만리의 말에 여인들의 입에서 피식 실소가 흘러나왔다.

인사를 마친 강만리는 예예를 한쪽으로 데리고 나와 소곤거렸다.

"잘 부탁하네."

예예가 조금은 활기찬 목소리로 말했다.

"우리 걱정은 하지 마시고, 악양 일이나 얼른 끝내고 오세요. 너무 기다리게 하면 안 된다고요."

"최선을 다해 일찍 끝내 보지."

그렇게 예예에게 당부를 한 후, 강만리는 다시 무사들 쪽으로 발길을 돌리려다가 문득 아이들이 뛰놀고 있는 쪽으로 시선을 돌렸다. 담호가 여러 아이들과 함께 놀아주는 모습이 보였다.

"아호!"

강만리가 부르자 담호가 쪼르르 달려왔다. 강만리는 무릎을 꿇고 담호와 눈을 맞춘 상태에서 부드럽게 말했다.

"우리 아빠들이 없으니 이제 장남인 네가 아빠 노릇을 해야 한다. 알겠느냐?"

담호는 잔잔한 미소를 지으며 고개를 끄덕였다.

"알고 있어요, 강 숙부."

"그래. 아이들은 물론 여러 어머니들까지 네가 잘 보호해 줘야 한다. 그렇게 할 수 있지?"

"네."

"그럼 됐다."

강만리는 담호의 어깨를 다독이고는 자리를 떴다.

잠시 후, 세 대의 마차와 오십여 필의 말들이 무당산을 향해 북상했다. 그들이 떠난 자리에 남은 이는 강만리와 설벽린, 그리고 만해거사 셋뿐이었다.

마차가 멀어지는 광경을 하염없이 지켜보던 강만리는 천천히 말머리를 돌리며 말했다.

"그럼 우리는 배를 타러 갑시다."

2. 이런

여전히 아이들은 시끄러웠고 정신없이 날뛰었다. 아이

들이 뛰노는 소리에 제대로 잠을 자지 못한 화소군의 울음소리가 여인들의 귀청을 찢을 것만 같았고, 마차 안은 더욱 난장판이 되었다.

겨우겨우 아이들을 달래서 재운 여인들은 그제야 비로소 한숨을 돌리며 휴식을 취하다가 그만 깜짝 놀라고 말았다.

"아호가 보이지 않네?"

"응? 진짜 그러네요."

"아니, 생각해 보니까 꽤 오랫동안 보지 못한 것 같네."

"뒤쪽 마차에 타고 있는 건 아닐까요?"

"그럴 리가 없을 텐데."

예예는 황급히 마차 창을 열고 부르자, 양위가 말을 타고 가까이 다가왔다. 예예가 빠른 어조로 말했다.

"아호가 보이지 않아요."

일순 양위의 얼굴이 굳어졌다. 하지만 그는 이내 미소를 지으며 말했다.

"아마도 뒤쪽 마차에 있을 겁니다."

"한번 찾아봐 주세요."

"알겠습니다."

양위는 예예의 부탁을 뒤로하고 말의 달리는 속도를 늦춰 뒤쪽 마차에 다가갔다. 그가 문을 두드리자 창이 열리고 소화가 고개를 내밀었다.

양위가 정중하게 물었다.

"거기에 아호가 있습니까?"

소화는 고개를 갸우뚱거리며 되물었다.

"앞쪽 마차에 있지 않아요?"

일순 양위의 얼굴이 하얗게 변했다.

그때였다.

"아, 형아가 말해 달라고 한 걸 깜빡 잊었다!"

마차 안에서 담창의 쾌활한 목소리가 들려왔다. 양위가 서둘러 물었다.

"뭐라고 말해 달라고 했는데?"

"강 숙부를 따라서 아빠 구하러 간다고 했어요. 그러니까 걱정하지 말라고 말하랬는데, 헤헤 노느라 깜빡 잊었네."

"이런……."

양위의 얼굴이 일그러졌다. 그는 저도 모르게 뒤를 돌아보았다.

벌써 상덕현에서 백 리 이상 떨어져 있었고, 되돌아간다 해 봤자 강만리 일행은 이미 배를 타고 악양부로 향하는 중일 것이다.

양위는 입술을 깨물었다.

마차 안에서 소화가 당황해하며 담창을 나무라는 소리가 들렸다.

"그런 건 빨리 엄마에게 이야기를 해야지."

"흐응, 놀다가 까먹었다니까."

"까먹을 게 따로 있지, 어쩌면 그런 걸 다 까먹니?"

"몰라. 하여튼 형아가 걱정하지 말라고 했으니까 걱정하지 마."

듣고 있던 양위가 한숨을 내쉬며 소화에게 말을 건넸다.

"아창 말대로 걱정하지 않으셔도 될 겁니다."

마차 안에서 아창이 크게 소리쳤다.

"거봐! 양 아저씨도 걱정하지 말라잖아?"

"조용히 좀 하렴. 보보 깨겠다."

"작은엄마가 먼저 소리쳐 놓고서는, 칫!"

양위가 서둘러 말했다.

"아호, 그 아이가 비록 나이는 어리지만 이미 한 사람 몫은 충분히 해낼 정도로 똑똑하고 영리합니다. 게다가 무공 또한 제 수하들보다, 아니 저보다 강하다고 할 정도로 뛰어나지 않습니까? 그리고 강 장주를 쫓아갔다고 했으니 강 장주가 잘 보살펴 줄 겁니다. 아창 말대로 걱정하지 않으셔도 될 겁니다."

소화는 가만히 있다가 나직하게 말했다.

"죄송해요. 우리 아이 때문에……."

"아닙니다. 제게 죄송할 것 없습니다. 그저 우리는 북해빙궁에 도착한 다음, 강 장주 이하 아호까지 무사히 돌아오기를 기다리기만 하면 됩니다."

양위는 그녀를 달랜 후 다시 말을 몰아 앞쪽 마차로 다가가며 속으로 한숨을 쉬었다.

'진짜 한 치 앞을 알 수 없는 게 세상일이로구나.'

* * *

"이런."

강만리의 입에서도 양위와 똑같은 말이 튀어나왔다.

그건 상덕현에서 배를 타고 한나절이 흘러 밤이 되었을 때의 일이었다.

바람은 시원했고 물결은 찰랑거렸다. 갑판에는 밤의 동정호를 즐기기 위해 나온 여객(旅客)들로 제법 붐볐다. 그들 대부분 남녀 한 쌍씩 짝을 지어 난간에 기댄 채 정담(情談)을 나누고 있었다.

강만리는 그런 주변 풍경이 눈에 들어오지 않았다. 동정호 수면을 내려다보는 무심한 눈길과는 달리, 그의 마음속은 온갖 번민과 고민, 후회와 갈등의 상념 속에 빠져 있었다.

'너무 급하게 결정한 건 아닐까? 십삼매와 허 노야의 동향을 살펴본 후에 출발했어도 늦지 않았을 텐데.'

십삼매와 허 노야는 강만리가 어렸을 적부터 알고 지내던 사람들이었다. 오랜 시간 동안 아주 가까이에서 봐 왔기에 강만리는 그들의 무서움을 누구보다도 더 잘 알고 있었다.

'하지만 언제까지고 그들의 꼭두각시가 될 수는 없다.'

물론 강만리가 화평장을 떠나 북해빙궁으로 이주하고자 한 가장 큰 이유는 오대가문의 대대적인 공세로부터의 안전 때문이었다.

하지만 그에 못지않게 십삼매의 황계나 허 노야의 유령교 곁에서 멀어지고자 하는 이유도 있었다.

그들 곁에 있다는 건 그들의 보호를 받는다는 의미도 되지만, 결국 화평장 식구들이 그들의 인질로 변모할 가능성이 더 컸으니까.

'뭐 이미 일을 저질렀으니 이제는 어쩔 수 없지만…… 그나저나 부인들도 데리고 왔어야 하나?'

강만리의 상념은 다시 다른 쪽으로 이동했다.

예예나 당혜혜, 정소흔은 하나같이 무림의 고수였다. 최소한 자신들의 앞가림은 할 수 있는 실력을 지녔으며, 무엇보다 당혜혜의 암기나 독공은 큰 도움이 될 수 있었다.

하지만 강만리는 이내 고개를 휘휘 저었다.

지금 상황에서 그녀들은 아이들 곁에 있는 것이 훨씬 큰 도움이 된다는 생각이었다.

'어쨌든 뒤를 걱정할 필요 없이 오직 정면만 보고 싸우

면 되는 것이니 차라리 이게 더 마음 편하다.'

밤바람을 쐬고 있던 강만리가 그런 생각을 하고 있을 때였다. 그의 등 뒤로 누군가 자그마한 기척이 다가왔다. 그리고 그 기척은 바람 소리처럼 희미하게 소곤거렸다.

"죄송해요."

강만리는 깜짝 놀라 뒤를 돌아보았다.

믿을 수 없게도 그 자리에는 이미 마차를 타고 떠난 줄 알았던 담창이 홀로 서 있었다.

"아창? 네가 여기는 웬일이더냐?"

강만리가 당황하여 물었다. 담창은 자신이 지은 죄를 잘 알고 있는 것처럼 고개를 푹 숙이며 말했다.

"아버지를 구하러 왔어요."

"이런."

강만리는 저도 모르게 한숨을 내쉬었다. 저도 모르게 손이 엉덩이를 긁적거리고 있었다.

"배에는 어찌 탔느냐? 어린아이는 보호자 없으면 받아 주지 않을 텐데."

"배삯의 두 배를 건네니까 말없이 태워 주던데요."

"이런. 여하튼 다 썩었다니까."

강만리는 투덜거렸다.

"이걸 어쩐다? 다시 돌아가기에는 이미 늦었고……."

담호는 그럴 줄 알고 이제야 말을 걸었다는 것처럼 배시시 웃었다. 강만리가 난감한 얼굴로 구시렁거릴 때였다.

"저녁 먹지 않고 뭐하누?"

선실 쪽에서 늙수그레한 음성이 들려왔다. 강만리와 담호가 고개를 돌렸다.

만해거사가 뚱뚱한 몸을 이끌고 갑판을 가로질러 다가오다가 뒤늦게 담호를 발견하고는 깜짝 놀라며 말했다.

"어라? 이게 누구고?"

담호가 웃으며 고개를 숙였다.

"오랜만입니다, 만해 할아버지."

"오랜만은 무슨. 아니, 그런데 이미 북상해도 한참 했어야 할 네가 여기에는 왜 있는 게냐?"

강만리가 툴툴거리며 말했다.

"아버지를 구하러 왔답니다."

"오호, 효자로구나."

"효자는요. 알고 보니 큰 말썽꾸러기인 게죠."

강만리의 말에 담호가 다시 고개를 숙였다.

"죄송해요. 하지만 말썽은 부리지 않을게요. 저도 이제 충분히 한 사람 몫을 해낼 수 있으니까요."

"으음?"

강만리는 어디서 많이 들어 본 듯한 말에 고개를 갸우뚱거리다가, 며칠 전 화평장에서 자신이 담우천에게 해줬던 말임을 떠올리고는 절로 인상을 찡그렸다.

"아호야, 이 숙부의 말은 그런 뜻이 아니었단다."

"네. 잘 알고 있어요. 그래서 죄송하다고 말씀드리는 거예요. 하지만 그래도 여전히 이제 저는 한 사람의 사내 몫을 충분히 해낼 수 있다고 자신해요."

"허어."

강만리가 한숨을 내쉴 때 만해거사는 껄껄 웃었다.

"그럼, 그럼. 자고로 사내란, 스스로 사내가 되었다고 생각할 때 비로소 진짜 사내가 되는 법이니까."

"고마워요, 할아버지."

"아니, 왜 계속 그렇게 바람을 넣으십니까?"

"바람은 무슨. 생각해 봐라. 아호가 지금 젖비린내 나는 애송이더냐? 아니면 고추에 털도 나지 않은 아이더냐? 응? 설마 아직 고추에 털도 나지 않은 건 아니겠지?"

만해거사의 갑작스러운 물음에 담호는 살짝 얼굴을 붉히며 대답했다.

"났어요."

"그것 봐라. 어딜 봐서 아호가 애란 말이냐?"

강만리는 눈살을 찌푸리며 말했다.

"만해 사부께서 지금 아호, 아호 하면서 아명(兒名)으로 부르는 것부터 아이 취급하는 게 아닙니까?"

만해거사는 강만리의 날카로운 역습에 움찔거리더니 이내 파안대소하며 말했다.

"그래. 그건 내가 잘못했구나. 앞으로는 절대로 아명으로 널 부르지 않으마. 나도 이제 정식으로 아호, 아니 호너를 어른 대접해 주마."

"고맙습니다, 할아버지."

"그러니 만리 자네도 제대로 대접해 주라고."

"그건…… 으음."

강만리는 재차 엉덩이를 긁적였다.

'어쩔 도리가 없나? 혼자 돌려보낼 수도 없고, 그렇다고 돌아갈 수도 없으니 결국 함께 갈 수밖에 없는데.'

이윽고 그는 길게 한숨을 내쉬며 고개를 끄덕였다.

"좋아. 네가 그렇게 한 사람의 몫을 해낼 수 있다고 자신한다면, 앞으로 너를 한 사람의 사내로 대하마."

담호는 기뻐하며 말했다.

"감사합니다."

"아니, 기뻐하기는 이르다."

강만리는 냉정하게 말했다.

"이제는 누가 너를 챙겨 주지도 않을 것이니 네 앞가림은 네가 해야 한다. 또한 그 어떤 일이 있더라도 계집애처럼 울거나 나약한 모습은 보이면 안 되고, 누가 시켜서 하기 전에 먼저 일거리를 찾아서 해야 한다. 또 네 생각만 하지 말고 주변 사람을 챙길 줄 알아야 하며, 네 안전보다 동료와 가족의 안위를 먼저 생각해야 한다. 알겠느냐?"

담호는 진지하게 대답했다.
"명심하겠습니다."
"그래. 해 주고 싶은 말은 산더미처럼 쌓였지만 대충 이 정도로 하자. 나머지는 네가 알아서 스스로 찾아봐라."
"네. 알겠습니다, 강 숙부."
"자자, 그럼 밥이나 먹으러 가자고."
만해거사가 끼어들었다.
"아 참! 아호, 아니 한 사람분의 식사를 더 준비하라고 해야겠구먼."
만해거사가 껄껄껄 웃었다.
그의 웃음소리는 호수 바람을 타고 동정호 수면 저편까지 흘러 나갔다.

3. 문외불출(門外不出)

갑작스러운 담호의 합류에 설벽린도 깜짝 놀랐다. 하지만 그는 이내 미소를 지으며 고개를 끄덕였다.
"그래. 나도 네 나이 때 벌써 한 패거리의 우두머리였으니 충분히 잘해 낼 거다."
"제발 좀 부추기지 마라."
강만리가 짜증을 냈다.

"그거야 이리저리 굴러다니면서 온갖 험한 꼴을 다 경험해 온 너니까 가능한 일이지."

설벽린도 지지 않았다.

"아호, 아니 이제 담호라고 불러 달라고 했지? 담호도 꽤 많은 경험을 한 걸 잊으셨어요? 어쩌면 형님보다 더 험하고 지독한 일도 겪고 다녔을 텐데요."

강만리는 입을 다물었다.

담호는 부친 담우천과 동생 담창과 함께, 납치당한 모친을 찾아 몇 년 동안 대륙 전역을 떠돌아다닌 적이 있었다. 그때 담호가 겪었을 경험들은 확실히 강만리의 강호 경험에 비해 적지 않을 법했다.

무엇보다 강만리는 다시 담호에게 그 참혹하고 가슴 아픈 기억을 떠올리게 하는 게 싫었다.

"허험."

강만리는 애꿎은 헛기침을 하며 말했다.

"어여들 자라. 내일 아침 일찍 악양부에 당도할 터이니."

"그럽시다."

사람들은 곧 선실 침상에 누워 잠을 청했다. 만해거사와 설벽린은 이내 코를 골며 잠들었다.

하지만 강만리는 쉽게 잠을 청할 수가 없었다. 그는 계속해서 엎치락뒤치락하면서 끙끙거렸다. 앞으로의 일에 대한 고민과 걱정으로 인해 골치가 지끈거릴 지경이었다.

담호도 꽤 오랫동안 잠을 이루지 못했다. 강만리가 고민과 걱정 때문에 잠을 이루지 못하는 것과 달리, 그는 흥분과 기대감으로 인해 잠이 오지 않았다.

'사내 대접을 받기 위해서는 사내 노릇을 제대로 해야 해.'

담호는 속으로 중얼거렸다.

'그러니 아직 나는 사내가 아냐. 제대로 된 사내 노릇을 해낼 때까지는 말이야.'

강만리가 피곤에 젖은 눈을 떴을 때, 선창(船窓) 밖은 어둠에 잠겨 있었다. 아직 해가 뜨려면 반 시진에서 한 시진가량 남아 있었다.

강만리는 끄응, 하며 다시 잠을 청하려 하다가 문득 맞은편으로 몸을 돌리고 가늘게 눈을 떴다.

어두운 실내, 맞은편 침상에 누군가 벌써 자리에서 일어나 가부좌를 틀고 운기조식을 하고 있었다.

'아호?'

강만리는 가늘게 눈을 뜬 채 자는 척하면서 가만히 지켜보았다.

담호의 운기조식은 이제 절정에 달한 듯 희미한 빛이 그의 전신을 감싸기 시작했다.

'호오.'

강만리는 상당히 놀랐다.

'어느새 옥예금화(玉蘂金花)의 경지에 이르렀다니…….'

옥예금화는 내공의 단계 중 하나로, 운기조식을 하는 동안 오색영롱한 금색 꽃이 모란과 같은 모양으로 피어나는 형상을 가리켰다.

하지만 그것보다는 운기조식을 할 때 비로소 그 경지를 나타내는 현상이 신체 외부로 구현되는 최초의 경지라는 의미로 사용되었다.

즉, 지금 담호처럼 신체 외부로 빛이 새어 나온다든가, 삼화취정(三華聚頂)처럼 세 개의 꽃이 정수리에 피어오른다든가, 오기조원(五炁朝元)처럼 다섯 개의 고리가 머리 위로 떠오른다든가 하는 형상의 시발점이 바로 옥예금화였다.

내공 수련이 옥예금화에 이르렀다면 이미 절정 고수의 수준에 달했다는 걸 의미했다.

물론 지금 담호의 경우에는 꽃과 같은 형상이 아닌, 단지 빛무리로 형성되는 걸로 보건대 이제 막 옥예금화의 경지에 발을 디뎌 놓은 모양이었다.

'호오. 그래도 아직 열다섯 살도 안 된 녀석이…….'

강만리의 가슴이 두근거렸다.

'예서 조금 더 내공이 쌓이고 수련을 거듭하다 보면 금세 옥예금화의 경지를 넘어 오기조원에 들어설 것이다.'

오기조원은 삼화취정과 더불어 이른바, 내공의 절대 고수를 상징하는 경지라 할 수 있었다.

또한 심벽을 깨기 위한 필수 조건인 동시에 절정 고수에서 초절정 고수로 넘어가는 단계로 이야기되는 경지였다.

'어쩌면 약관 이전에 오기조원까지 도달할지도…….'

비록 무림사(武林史)에 관해서는 얕은 지식을 가진 강만리였지만, 그래도 약관의 나이 이전에 오기조원의 경지까지 오른 이는 거의 찾아볼 수 없다는 것 정도는 잘 알고 있었다.

동시대의 수많은 고수를 둘러봐도 오직 황계에서 키워낸 괴물, 소야를 제외한다면 그 어떤 이도 감히 그 나이에 그 경지까지 도달한 이가 없었다.

강만리는 마른침을 꿀꺽 삼켰다.

'이 녀석, 진짜 제대로 한 사람 몫을 해낼지도 모르겠구나.'

운기조식을 끝내고 내기(內氣)를 갈무리한 담호가 조심스레 침상에서 내려왔다. 담호는 곤히 잠든 사람들을 깨우지 않으려는 듯 살금살금 걸어서 선실 밖으로 나갔다.

이미 잠은 다 깬 상황이었다.

강만리는 잠시 생각하다가 자리에서 일어나 역시 조심스러운 발걸음으로 선실을 빠져나왔다.

새벽바람이 차가웠다. 갑판 위에는 아무도 없었다. 오

직 담호 혼자 넓은 갑판에서 천천히 춤을 추듯, 손과 발을 부드럽게 놀리며 몸을 풀고 있었다.

강만리는 선실 벽에 몸을 숨긴 채 한동안 그 광경을 물끄러미 지켜보았다.

'무당파의 무공이려나?'

강만리는 그럴 거라고 생각했다.

저렇게 한없이 나긋나긋하면서도 한 번 휘몰아칠 때는 폭풍처럼 격렬하며 파괴력 넘치는 움직임은 오로지 무당파의 무공뿐이었으니까.

담호는 꽤 오랜 시간 동안 그 수법을 연마했는지 전혀 막힘없이 도도하고 유장하게 한 올 한 올 풀어 나갔다. 그 동작의 유려함만 본다면, 마치 반노환동한 무당파 장로가 그 자리에 있는 것만 같았다.

'제수씨가 가르쳐 줬을까?'

화군악의 아내인 정소흔은 무당파 장문인의 여식. 누구보다도 담호를 귀여워했으니 그럴 법했다.

'아니, 그러지는 않았을 게다.'

문외불출(門外不出).

사문의 무공은 함부로 남에게 보이거나 가르치지 않는다는 격언은 곧 명문가의 근본 마음가짐이라 할 수 있었다. 아무리 담호가 귀엽다고 해도 그렇게 간단하게 자신의 문파 무공을 전수하지는 않았을 것이다.

'담호를 제자로 삼기 전에는 말이지.'

하지만 화군악이라면 어떨까.

화군악은 무당파 제자가 아님에도 불구하고 무당파 최고 절기인 태극혜검의 정수를 익히고 있었다.

화군악에게 듣기로는, 심지어 그 무애암(無涯巖)에서 깨우친 절기는 태극혜검 하나가 아니라고 했다. 장삼봉 조사의 평생 절학이 고스란히 그곳에 남아 있었다고 했다.

'그중 하나를 가르쳐 준 거라면…….'

아니, 어쩌면 담우천이 가르쳐 준 것일 수도 있었다.

담우천은 과거 정파 무림에서 키웠던 살수였던 만큼 정파 무공에 대해서는 그 누구보다도 박학다식한 인물이었다. 그러니 무당파 무공 두어 개 정도는 익히 알고 있을 것이다.

'아니다. 그게 무슨 상관이란 말이냐?'

강만리는 이리저리 생각하다가 고개를 휘휘 내저었다.

누가 가르쳐 주었느냐 하는 건 확실히 큰 문제가 되지 않았다. 중요한 건 지금 담호가 펼치는 투로(套路)는 무당파 그 어떤 고수와 비견해도 전혀 뒤떨어지지 않을 정도의 숙련도를 보인다는 점이었다.

그리고 그 정도 수준에 오르기까지 담호가 얼마나 갈고닦고 노력했을까 하는 점이었다. 저 어린 꼬마가, 저런 경지의 투로를 연마할 때까지 겪어야만 했던 그 고통의 나날들을 떠올리는 게 중요했다.

'그래.'

강만리는 천천히 고개를 끄덕이며 속으로 중얼거렸다.

'이제부터 너는 아호가 아니라 담호인 게다.'

그는 조금 더 담호를 지켜보다가 행여 방해라도 될까 봐 소리 내지 않고 선실 안으로 들어갔다.

홀로 남은 담호는 날이 밝을 때까지, 그리고 사람들이 갑판으로 나올 때까지 쉬지 않고 계속해서 무아지경(無我之境)의 투로를 펼치고 있었다.

5장.

비사(秘事)

"요즘 원로회의 노인들 사이에서는 어쩌면
태극천맹과 오대가문 간의 내전이 발발할지도 모른다는 소문까지
흉흉하게 돌고 있던 판이오.
그런데 본산에 원군을 요청했다니, 그럼 그게 헛소문이었다는 말이외까?"

1. 호도당(好賭堂)

장백두의 호의 덕분에 대복객잔을 빠져나간 숭천웅은 황급히 비상약을 챙겨 먹었다. 워낙 피를 많이 흘린 데다가 잘린 팔의 부상이 심각한 까닭에 숭천웅은 금방이라도 정신을 잃고 쓰러질 지경이었다.

하지만 숭천웅은 초인적인 인내와 정신력으로 버티며 재차 지혈을 한 다음, 웃옷을 벗어 잘린 팔 부위를 둘둘 말아서 팔이 잘렸다는 사실을 가렸다.

그는 대로를 따라 비틀거리며 걸었다. 마침 대복객잔에서 그리 멀리 떨어지지 않은 곳에 안면 있는 마부가 있었다.

숭천웅은 그의 집을 찾아가 문을 두드렸다. 아직 해가 뜨지 않은 새벽, 마부는 아직 잠에서 깨지 않은 눈을 비비면서 투덜거리며 나왔다.

"마차를 빌리고 싶네."

새하얗게 질린 안색의 숭천웅은 이를 깨물며 힘들게 말했다. 마부는 숭천웅을 알아보고는 늘어지게 하품을 하며 대답했다.

"너무 일찍 찾아오셨……."

"은자 백 냥은 넘을 것일세."

숭천웅은 품에서 은자 꾸러미를 꺼내 던지며 말했다.

마부가 깜짝 놀라며 꾸러미를 받아 들었다. 묵직한 것이, 열어 보지 않아도 그 액수를 대략 짐작할 수 있었다.

마부의 눈가에 스며 있던 잠기운이 사라지고 대신 입이 찢어졌다.

"아휴, 숭 지배인님의 부탁이시라면 밤낮이 따로 있겠습니까? 그럼 어디로 모실까요?"

"통성(通城) 남문(南門) 호도당(好賭堂)으로 가면 되네."

"통성이라면 통성현 말씀이시죠?"

통성현은 악양에서 동쪽으로 약 이삼백 리 정도 떨어진 마을이었다. 지금 출발하면 늦어도 저녁 무렵에는 당도할 수 있는 곳이었다.

숭천웅은 지붕 없는 마차 뒷좌석에 앉으며 짧게 말했다.

"맞네."

억지로 쥐어짜 내는 목소리였지만 마부는 전혀 눈치채지 못한 채 싱글벙글 웃으며 마부석에 오른 후, 힘차게 채찍을 휘둘렀다.

"이랴!"

히히힝!

말 울음소리와 함께 한 필의 말이 끄는 지붕 없는 마차, 아니 마차라기보다는 수레라고 하는 게 더 어울릴 정도의 조그만 마차가 힘차게 출발했다.

심하게 덜컹거리는 마차였기에 외려 숭천웅은 정신을 잃지 않을 수 있었다. 물론 마차가 덜컹거리며 몸이 튀어 오를 때마다 온몸이 찢어지는 것만 같은 고통이 그를 엄습했다.

숭천웅은 입술이 찢어질 정도로 꽉 깨문 채 모든 정신을 집중하여 잘린 팔 쪽으로 내공을 불어넣었다.

'내공만으로 피를 멈추게 하고 잘린 근육과 혈맥을 잇게 만드는 고수도 있다고 하지 않았던가.'

숭천웅은 내심 그렇게 중얼거리면서 부상 부위를 치료하려 애를 썼다.

몇 번이나 까무러칠 정도의 고통을 참고 견딘 덕분이었

을까. 마차가 통성현에 들어서고 남문 호도당으로 향할 무렵에는 어느덧 승천웅도 통증에서 조금이나마 자유로워질 수가 있었다.

"고맙네. 수고했네."

승천웅은 마차에서 내리며 말했다. 마부가 활짝 웃으며 물었다.

"그럼 예서 기다릴까요?"

"아니, 며칠 이곳에서 묵을 것이니 먼저 돌아가게."

"아, 네."

마부는 약간 실망스러운 표정을 지었지만 이내 쾌활한 어조로 말했다.

"그럼 나중에 또 뵙겠습니다."

마차는 다시 덜컹거리며 출발했다.

승천웅은 고개를 들어 하늘을 올려다보았다. 제법 해가 서쪽으로 넘어가 있지만, 그래도 해가 지기에는 꽤 시간이 남은 듯 보였다.

의외로 마부의 말 다루는 솜씨가 노련했는지, 생각보다 한 시진이나 일찍 도착한 것이다.

잠시 하늘을 보며 생각을 정리하던 승천웅은 곧 고개를 한 번 크게 내젓고는 호도당으로 걸음을 옮겼다.

호도당은 통성현에 있는 유일한 도박장의 상호(商號)로, 도박을 좋아하는 사람들이 모이는 곳이라는 의미의 단어였다.

도박은 물론 술과 음식, 심지어 여자까지 제공하는 까닭에 늘 문전성시를 이루는 곳이기도 했다.

하지만 아직 해가 지려면 한 시진 이상이나 남은 시각, 도박꾼들이 모여들려면 시간이 필요했다. 호도당 역시 이제 막 청소를 시작하고 영업할 준비를 하고 있었다.

숭천웅이 문을 열고 들어서자 밀대로 마루를 훔치던 점소이가 짜증을 내며 말했다.

"한 시진 후에 문을 엽니다."

점소이는 숭천웅을 아마도 도박을 하러 온 손님이라고 생각한 모양이었다.

숭천웅은 나지막한 어조로 말했다.

"소백규(蘇栢奎)를 불러 오게."

젊은 점소이는 밀대를 멈추고 그를 노려보며 말했다.

"어디에서 감히 우리 당주(堂主) 성함을 함부로 부르고 그러시나?"

숭천웅은 한쪽으로 치워둔 걸상 하나를 힘겹게 꺼내 앉으며 말했다.

"악양의 숭천웅이 찾아왔다고 전하게."

"악양의 숭천웅은 무슨 얼어 죽을…… 응? 숭천웅이라면…… 대복객잔의 숭 대인 말씀이십니까?"

"그래. 바로 그 숭천웅이네."

점소이는 숭천웅의 아래위를 훑어보았다. 파리한 안색에 식은땀을 흘리며 한쪽 팔을 옷으로 칭칭 동여맨, 그야말로 앵속(罌粟)에 중독되었거나 도박에 미친 자들의 모습과 똑같아 보였다.

'이 병자 같은 자가 진짜 숭천웅이라는 말이지?'

점소이는 잠시 머뭇거리다가 서둘러 대청 안쪽으로 달려갔다.

잠시 후, 중년의 사내가 허겁지겁 달려와 놀란 눈을 하고 소리쳤다.

"아니! 이게 무슨 일이십니까, 숭 형님?"

"소 아우……."

숭천웅은 그를 보고는 안도의 한숨을 내쉬었다.

순간 그의 몸이 축 늘어졌다. 긴장이 풀어지는 동시에 정신을 잃고 혼절한 것이다.

"형님!"

중년 사내는 깜짝 놀라 그의 눈을 까뒤집은 다음 재차 손목을 잡고 맥문을 짚었다. 이내 중년 사내의 얼굴이 크게 일그러졌다.

"허어, 이건 산송장의 맥박이 아닌가?"

탄식하듯 중얼거리던 중년 사내의 시선이 문득 옷으로 칭칭 동여맨 숭천웅의 팔에 이르렀다. 그는 조심스레 옷을 풀었다.

이내 그의 눈이 커졌다. 숭천웅의 잘린 팔이 한 눈에 들어온 것이다.

"도대체 무슨 변괴가 있었던 건가?"

중년 사내, 소백규는 빠르게 점소이를 돌아보며 지시를 내렸다.

"밀실 한 곳을 비워라. 그리고 백 의생을 모셔 와라. 아주 중한 환자가 있다고, 최대한 빨리 모셔 오너라."

* * *

숭천웅이 다시 깨어난 건 그로부터 이틀이 지나서였다. 그는 정신을 차리자마자 잘린 팔부터 확인했다

.새하얀 면포로 칭칭 동여맨 팔뚝을 본 숭천웅은 저도 모르게 한숨을 내쉬며 중얼거렸다.

"꿈이 아니었구나."

숭천웅은 입술을 깨물었다. 그의 얼굴이 절망적으로 일그러졌다.

이곳 호도당의 치료 덕분인지 상처의 통증은 생각보다 미미했지만, 역시 한 팔을 잃었다는 상실감은 상당히 크고 깊을 수밖에 없었다.

하지만 그는 끝없이 절망하고 좌절하지 않았다. 빠르게 냉정을 되찾은 그는 밖을 향해 소리쳤다.

"밖에 누구 없소이까?"

소리를 들은 젊은이가 문을 열고 들어섰다. 이틀 전 숭천웅을 맞이했던 그 젊은 점소이였다.

점소이는 숭천웅이 정신을 차린 모습을 보고 활짝 웃으며 말했다.

"드디어 깨어나셨군요, 숭 나리."

숭천웅은 먼저 고맙다고 인사를 한 후 다시 소백규를 찾았다. 점소이는 빠르게 방을 나갔고, 잠시 후 소백규가 허둥지둥 들어섰다.

"고맙네."

숭천웅은 다시 한번 치하하자, 소백규가 웃으며 말했다.

"우리 사이에 무슨 그런 말씀을 하십니까?"

하지만 그는 곧 진중한 표정을 지으며 말을 이었다.

"주무시는 동안 악양부에서 벌어진 참사에 대해서 알게 되었습니다. 또한 십삼매에게 바로 연락을 취해 놓았습니다."

"아, 고맙네. 안 그래도 그 부탁을 하려 했었는데. 정말 고맙네."

"고맙다니요. 그런 말씀 마시고 형님께서는 그저 편하게 푹 쉬시면서 요양하시면 됩니다."

"참, 우리 아이들은?"

"아, 그것도 확인했습니다. 악양 일대의 각 지부들과 연락을 주고받아서 악양 지부의 모든 조직원들이 무사하다는 소식을 받았습니다."

"아, 다행이다."

숭천웅이 눈을 감으며 진심으로 감사해할 때, 소백규가 살짝 인상을 찌푸리며 말을 이었다.

"하지만 한 명, 그러니까 아직 조직의 명적(名籍)에 올리지 못한 소년의 행적이 아직 오리무중입니다."

"명적에 올리지 못했다면…… 오송, 그 아이가?"

"그렇습니다. 현재 인근 황계 지부의 모든 힘을 다 동원하여 그의 행방을 수소문하는 중입니다."

"으음."

숭천웅은 입술을 깨물었다.

활달하고 눈치 빠르며 분위기를 잘 띄워서 선배들의 귀여움을 독차지하던 녀석이었다.

황계의 조직원이 되기 위해서는 아직 몇 단계의 시험이 남아 있기는 했지만, 그래도 숭천웅은 이미 자신의 수하 중 한 명이라고 생각하고 있는 아이였다.

"부탁하네."

숭천웅이 소백규를 향해 진심으로 애원하듯 말했다.

"그 아이, 꼭 좀 찾아 주게."

소백규가 미미하게 미소를 머금으며 고개를 끄덕였다.

"당연하죠. 정식 조직원이 아닐지언정 그래도 꽤 오랫동안 황계의 밥을 함께 먹은 같은 식구가 아니겠습니까? 형님은 염려하지 마시고 푹 쉬시면 됩니다."

"고맙네, 소 아우."

숭천웅이 팔을 뻗어 소백규의 손을 잡으려다가 문득 아차 하는 표정을 지었다. 그의 잘린 팔은 소백규의 손을 잡을 수가 없었으니까.

소백규는 침착한 표정을 유지한 채 숭천웅의 남아 있는 손을 잡으며 살짝 떨리는 목소리로 말했다.

"반드시 찾아내겠습니다."

2. 실수

"지금 악양부 일대는 천 명이 고수들과 수백 명의 관원들로 꼼꼼하게 천라지망을 펼친 상태이니 절대 놈들이 들키지 않고 악양부를 빠져나갈 수 없을 것이야."

"쥐새끼처럼 반드시 어딘가에 숨어 있을 거라는 게지. 그래서 이렇게 우리가 악양부 전역을 샅샅이 뒤지고 있는 게 아닌가?"

"하지만 아무래도 우리가 엉뚱한 곳을 수색하고 있는 것 같단 말이지."

"엉뚱한 곳이라니?"

"놈들이 멀리 도주했을 거라고 생각해서 지금 우리는 대복객잔에서 멀리 떨어진 악양부 동, 서, 북쪽의 가택과 술집, 객잔을 뒤지고 있지 않은가?"

"당연한 것 같은데?"

"아니, 가만히 생각해 보면 등하불명(燈下不明), 등잔 밑이 어둡다고, 놈들은 멀리 도주한 척해 놓고 의외로 대복객잔에서 가까운 곳에 몸을 숨기고 있을 가능성이 큰 것 같네."

"흠, 자네 말도 일리가 없지는 않군. 그럼 우리 숙객들을 절반으로 나눠서, 절반은 계속 이 주위를 탐문하고 다른 절반은 대복객잔 주위를 수색하는 것으로 할까?"

"그게 좋을 것 같네. 그럼 내가 사람들을 이끌고 대복객잔 주위를 수색할 테니, 자네는 계속 여기 남아서 수고해 주게."

"그리하지."

"대형!"

"응? 무슨 일이오, 송 아우님?"

"남문 밖으로 도망치려던 대복객잔의 점소이 하나를 붙잡아서 지금 금해가로 압송 중이라고 하오."

"오호. 듣던 중 반가운 소리요. 누가 잡았다고 하오?"

"금해가 무사들이 잡았다더이다."

"흠, 그럼 우리도 얼른 공을 세워야겠구려. 밥값이라도 하려면 말이지."

"그렇지. 이대로 별무소득(別無所得)이면 면목이 서지 않으니까 말일세. 그럼 어서 가 보게."

"알겠네. 놈들의 무공이 만만치 않으니 조심들하고."

"자네도 조심하게."

대화를 끝낸 숙객들은 곧 두 패로 나뉘어 한 무리가 자리를 떠났다.

그들이 허공을 날아가는 속도는 매처럼 빨랐으며 그 모습은 제비처럼 우아했다. 악양부 거리를 오가던 일반 행인들이 고개를 들어 그 광경을 보고는 절로 감탄사를 터뜨렸다.

* * *

실수였다.

사건이 벌어졌던 그날 바로 악양부를 떠났어야 했다. 잠잠해질 때까지 숨어서 기다리겠다고 생각한 것이 오송의 첫 번째 실수였다.

악양부의 공기는 시간이 흐르고 날짜가 바뀌면서 오송의 생각과는 전혀 다르게 더욱 흉흉해졌다. 거리를 오가는 무사들의 수는 몇 십 배로 늘어났으며 그들은 악양부의 모든 민가까지 샅샅이 뒤지고 있었다.

두 번째 실수는 마음에 두고 있던 동네 처녀 심심(芯芯)에게 작별 인사를 고한 부분이었다.

심심은 내심 싫지 않았던 오송이 갑작스레 악양부를 떠난다면서 이별을 통보하자 슬픔에 젖어 침식(寢食)을 잊었다. 그 모습을 보고 이상하게 생각한 심심의 모친이 물었고, 결국 심심은 눈물을 흘리며 오송에 대해 이야기했다.

심심의 모친은 다시 자신의 남편에게 그 사실을 전했다. 심심의 부친은 그날 낮, 언뜻 스쳐 지나가면서 보았던 방문(榜文)을 떠올렸다.

관아에서 만든 방문에는 대복객잔과 관련된 이들에 대한 현상금과 또 그들을 숨긴 자에 대한 처벌 등등에 대해 적혀 있었다.

그날 밤 심심의 부친은 부리나케 관아로 달려가 오송에 대해 보고했다.

마침 오송은 그날 밤 남문 성벽 사이로 뚫린 개구멍을 통해 악양부를 떠나려는 중이었다. 무사히 개구멍을 통과한 그가 무릎을 털며 자리에서 일어나는 순간, 기다리고 있던 관원들이 불쑥 그의 앞을 가로막으며 말했다.

"어디를 그리 급히 가려 하시나?"

오송은 사색이 되어 도망치려 했지만, 나름대로 범죄자

들을 상대한 경험이 뛰어난 포두의 솜씨는 절대 녹록지 않았다. 포두는 순간적으로 오송의 팔을 잡아채고는 그대로 꺾어서 등 뒤로 돌려 포박하며 희희낙락했다.

심심 부친의 고발로 남문 일대에는 백여 명의 관원들이 곳곳에 포진되어 있었는데, 마침 개구멍 앞에서 기다리고 있던 그에게 딱 걸려든 것이었다.

대복객잔에서 일하는 이들에게는 각각 은자 백 냥의 현상금이 붙어 있었다. 그를 생포한 포두는 근 일 년 치 녹봉에 해당하는 불로소득을 얻게 된 셈이었으니, 어찌 입이 째지지 않을 수 있겠는가.

오송은 변명이나 애원할 새도 없이 금해가 무사들에게 인도되었다. 그리고 수혈을 짚인 채 금해가 깊은 지하 감옥에 갇혔고, 물벼락과 함께 정신을 차려야만 했다.

험상궂게 생긴 근육질의 사내가 음흉하게 웃으며 말했다.

"안 그래도 심심하던 참에 잘 왔다. 우선 인사 겸 해서 손가락 하나만 벗겨 주마."

사내는 다짜고짜 오송의 검지를 잡더니 마치 회를 뜨듯, 포를 뜨듯 예리한 칼로 손가락의 피부를 베어 냈다.

"아아악!"

오송의 입에서 굉음과도 같은 비명이 터져 나왔다. 그의 몸은 사시나무처럼 경련을 일으키며 몸부림쳤다.

하지만 사내는 꿈쩍하지 않은 채 손가락의 피부를 다 벗긴 후 잔악하게 웃으며 말했다.

"상처는 치료해 주마. 지혈을 하는 데에는 소금이 가장 좋다더군."

사내는 피부가 벗겨져서 붉은 살점이 고스란히 드러난 손가락에 거침없이 소금을 뿌렸다.

"으아아악!"

조금 전보다 더 크고 처절한 비명이 오송의 입에서 뿜어져 나왔다. 오송은 그 참을 수 없는 고통에 마구 몸부림을 치다가 그대로 혼절하고 말았다.

"어딜."

사내는 다시 오송의 얼굴에 물을 뿌렸다. 입을 막고 코에 물을 붓자 오송은 고개를 휘저으며 정신을 차렸다.

"이 정도면 인사치레는 된 것 같다. 그럼 정식으로 소개하지. 악나한(惡羅漢), 그게 내 별명이다."

오송은 부들부들 떨면서도 악에 받친 듯, 혹은 악나한을 꾸짖듯 크게 고함을 내질렀다.

"명색이 정파 명문가라는 금해가에서 이런 고문을 하다니! 그러고도 정도를 걸으며 협의를 좇는다고 할 수 있단 말이오?"

"어라, 어려운 말도 쓰네."

악나한이라는 자가 킬킬 웃으며 말했다.

"하지만 이거 어쩌나? 나는 금해가 사람이 아니거든."

오송의 눈이 휘둥그레졌다.

"나는 그저 금해가의 식객 중 한 명에 불과하단다. 그러니까 지금 내가 하는 일은 금해가와 아무런 관련이 없는 거지. 그저 내 독단적으로 생각하고 행동하는 것뿐이니까."

악나한은 웃으며 비수를 들었다.

"그럼 어디부터 시작할까?"

오송은 눈물을 흘렸다. 마지막 남아 있던 분노와 용기가 사그라지는 순간, 그는 비굴해졌다. 살기 위해 몸부림칠 수밖에 없었다.

오송은 부들부들 떨면서 애원했다.

"사, 살려 주세요."

"살려 주지. 내가 묻는 말에 순순히 대답만 한다면 말이다."

악나한은 사람 좋은 표정을 지으며 말을 이었다.

"그래. 너는 누구지?"

오송은 격통과 불안, 두려움과 공포 속에서 힘겹게 입을 열었다.

"오, 오송이요."

"어디서 무슨 일을 하고?"

"저, 점소이입니다. 대복객잔에서……."

"좋아. 그렇게 사실대로만 말하면 나도 편하지. 물론 심심하기는 하겠지만 말이야. 오늘 새벽, 대복객잔에서 무슨 일이 벌어졌는지 잘 알지?"

"그, 그건……."

오송은 순간적으로 망설였다. 다음 순간, 참을 수 없는 통증이 그의 왼발에서 솟구쳐 올랐다.

"아악!"

마치 오송이 망설이기를 기다렸다는 듯이 악나한은 그대로 오송의 왼쪽 정강이를 힘껏 밟았고, 우두둑 소리와 함께 정강이가 부러진 것이었다.

악나한은 여전히 사람 좋은 얼굴로 말했다.

"그래. 그렇게 해 줘야 내가 심심하지 않지. 다시 한번 묻겠다. 물론 또 망설여도 상관없다. 아니, 솔직하게 말하자면 나는 네가 망설이고 거짓말을 하고 침묵하기만을 원하거든. 그래야 아주 오래간만에 마음껏 즐길 수가 있으니까 말이야."

악나한은 손에 든 비수를 오송의 새끼손가락에 대며 천천히 물었다.

"그래. 사흘 전 새벽, 대복객잔에서 무슨 일이 있었지?"

오송의 눈가에 절망의 그림자가 스며들었다.

'미안, 미안해요.'

오송은 눈물을 흘리며 사과했다.

'어쩌면 버틸 수 없을지도 몰라요.'

그러는 가운데 악나한의 칼이 자비 없이 오송의 새끼손가락을 후벼 팠다.

오송의 입에서 단말마의 비명이 터져 나왔다.

"아악!"

3. 그 소문은 사실이오

대청의 문이 열리고 총관이 허둥지둥 들어섰다.

아침 일찍부터 대청 탁자에 모여 있던 사람들이 그를 돌아보는 가운데, 탁자 중앙에 앉아 있던 초일방이 빠른 어조로 물었다.

"어찌 되었느냐?"

총관은 허리를 숙이며 대답했다.

"무공도 모르는 점소이치고는 꽤 오랫동안 버텼지만, 결국 악나한의 노련한 솜씨를 견디지 못하고 실토하였다 합니다."

"역시 악나한이로군. 그래, 놈들의 위치도 알아내었느냐?"

"네. 놈들은 대복객잔에서 그리 멀리 떨어지지 않은 안가에 은신하고 있다 합니다. 지금 그 안가라는 곳으로 숙객들과 본가 무사, 그리고 태극천맹과 관원들까지 총출동시킬 준비를 하고 있습니다."

"으음, 이상하군."

초일방은 총관의 들뜬 목소리와는 달리 침착한 표정을 유지한 채 입을 열었다.

"왜 그들이 아직 그곳에 남아 있는 거지? 우리가 악양부 전역을 샅샅이 수색할 걸 모를 리가 없을 텐데."

총관은 미처 거기까지 생각하지 못한 듯 당황해하다가 겨우 말을 꺼냈다.

"그, 그건 아마도 우리가 펼친 천라지망이 워낙 촘촘한 까닭에 미처 도주할 엄두조차 내지 못하고 있는 게 아닐까 싶습니다."

총관의 낙관과는 달리 초일방은 여전히 신중했다.

"어쩌면 놈들이 함정을 파고 기다리고 있는 것일지도……."

그의 중얼거림을 들은 홍염철검이 고개를 갸웃거리며 말을 받았다.

"아무리 놈들이 앞뒤 가리지 않는 무뢰배들이라 할지라도 어찌 금해가와 태극천맹을 상대로 함정을 팔 수 있겠소?"

그의 옆자리에 앉아 있던 운룡신창 또한 홍염철검에 동의한다는 듯이 고개를 끄덕이며 말했다.

"맞소. 놈들은 그저 도망칠 때를 놓친 채 전전긍긍하고 있을 게 분명하오. 그러니 당장 출격 명령을 내려 주시오. 나도 함께 가겠소."

운룡신창은 금해가 측에서 새롭게 마련해 준 장창을 힘껏 쥐며 말을 이었다.

"과분하게 초 가주께서 이 신창(神槍)을 주셨으니, 두 번 다시 놈들의 그 괴병(怪兵)에 당하지 않을 것이오."

탁자 말석에 앉아 있던 장백두가 속으로 코웃음을 치며 중얼거렸다.

'겨우 창 한 자루 새로 얻었다고 해서 기세등등할 수 있는 실력이 아니실 텐데 말이지.'

지금 운룡신창이 쥐고 있는 장창은 금해가의 보고(寶庫)에 고이 소장되어 있던 귀염신창(鬼炎神槍)이라는 물건으로, 백여 년 전의 절대 고수 중 한 명이었던 귀염공(鬼炎公)의 절세병기였다.

초일방은 보고를 열어 운룡신창에게 그 신병을 선물했으며, 귀염신창을 받아 든 운룡신창은 '이거야말로 닭 대신 꿩이 아니냐?'며 기꺼워했다.

"내 결코 귀염신창의 이름에 부끄럽지 않도록 전력을 다해 놈들과 싸울 것이니, 초 가주께서는 당장 총공격의 명을 내려 주시오."

운룡신창이 거듭 힘주어 총공격을 요구했지만 초일방이 고개를 흔들며 말했다.

"아니, 그렇게 급하게 결정할 필요는 없소. 만약 놈들이 아직도 그곳에 있다면 쉽게 다른 곳으로 움직이지 못할 것이니 말이오. 우선은 천라지망을 그 일대로 좁혀 촘촘하게 조인 후, 본산의 원군들과 함께 놈들을 척결하는 게 나을 것 같소이다."

"음? 본산이라면, 태극천맹에 연락을 취하셨소이까?"

홍염철검이 눈을 동그랗게 뜨며 물었다. 초일방이 대꾸없이 고개를 끄덕이자, 홍염철검은 잠시 머뭇거리다가 조심스러운 표정을 지으며 다시 입을 열었다.

"실은 태극천맹과 오대가문 사이에 약간의 알력이 있다고 들었소이다."

일순 사람들의 표정이 모두 딱딱하게 굳었다. 알고는 있었지만, 들은 적이 있기는 했지만 차마 함부로 입에 올릴 수 없었던 그 이야기를, 지금 홍염철검이 스스럼없이 말한 것이었다.

홍염철검은 초일방을 똑바로 바라보며 말을 이어 나갔다.

"요즘 원로회의 노인들 사이에서는 어쩌면 태극천맹과 오대가문 간의 내전이 발발할지도 모른다는 소문까지 흉흉하게 돌고 있던 판이오. 그런데 본산에 원군을 요청했다니, 그럼 그게 헛소문이었다는 말이외까?"

초일방은 미미하게 웃으며 말했다.

"아니, 그 소문은 사실이오."

"으음."

홍염철검의 얼굴빛이 변했다. 다른 이들, 운룡신창과 멸절사태, 그리고 장백두의 얼굴까지 창백해지는 순간이었다.

초일방은 차분한 어조로 말을 이었다.

"삼사 년 전 황궁에서 역모 사건이 있었소. 셋째 황자가 황궁의 대신들, 무림의 인사들과 모의 작당하여 황권을 찬탈하려 했다가 결국 수포로 돌아간 일이었소. 그 사건에 가담한 모든 인물들이 큰 벌을 받았으나…… 문제는 어떤 무림인들이 어느 정도의 규모로 가담했는지 확실하게 알 수 없었다는 점이오."

"천지회라고 들었던 것 같소이다만."

"천지회, 경천회 뭐 그런 이름으로 불리는 조직이라고 하는데…… 결국 그 주모자들을 잡아내지 못하고 사건이 종결되었소."

"으음."

장백두는 저도 모르게 신음을 흘렸다.

지금 이 자리에서 그 이야기를 처음 듣는 건 오직 장백두뿐이었다. 그는 하마터면 천지가 뒤엎어질 뻔했던 비사(秘事)를 알게 되었다는 흥분감에 가슴이 두근두근했다.

초일방은 계속해서 말을 이어 나갔다.

"당시 태극맹주는 좋은 기회를 얻어 황제와 독대할 수

가 있었소."

"아, 그런 일이!"

"그랬구려."

이번에는 홍염철검과 운룡신창이 동시에 탄성을 올렸다. 황제와 태극맹주의 독대는 그들 또한 처음 들어 보는 이야기였던 것이다.

"당시 무슨 이야기가 오갔는지를 지금 이 자리에서 세세하게 말할 수는 없지만……."

초일방은 신중한 어조로 말했다.

"황제께서는 태극맹주에게 그 천지회, 혹은 경천회라 불리는 조직을 일망타진하기를 요구하셨소."

홍염철검이 고개를 끄덕이며 중얼거렸다.

"어쨌든 본 맹의 맹주는 무림을 대표하는 분이시니, 충분히 그런 요구를 하실 법도 했겠구려."

"그렇소. 이후 맹주는 역모를 주도했던 무림 조직을 찾기 위해 심혈을 기울였소."

거기까지 이야기를 듣던 장백두가 저도 모르게 "아!" 하고 탄성을 쏟아 냈다.

초일방을 비롯한 노기인들의 시선이 일제히 말석에 앉은 그에게로 쏠렸다. 나무라는 눈빛, 무슨 일이냐는 눈빛이 장백두를 압박했다.

장백두는 헛기침을 하며 입을 열었다.

"그러니까 왜 초 가주께서 굳이 이런 이야기를 하고 계실까, 애당초 천맹과 오대가문의 알력이 심한 이유를 설명하시는 자리에서 굳이 이런 이야기를 하실까 하는 생각이 언뜻 들었습니다. 지금 한시가 급한 상황에서 괜히 엉뚱한 이야기를 하실 리도 없고, 그렇다면 분명 두 사건 간에 모종의 연관이 있을 게 분명하고……."

이야기를 듣고 있던 초일방의 눈가로 감탄의 빛이 스며들었다. 홍염철검과 멸절사태는 놀란 눈빛으로 장백두를 바라보았고, 운룡신창은 아직도 감이 잡히지 않는다는 표정으로 그의 이야기를 들었다.

장백두의 말은 계속해서 이어졌다.

"즉, 다시 말해서 천맹의 맹주께서는 오대가문, 혹은 오대가문 중의 한 곳이 저 천지회나 경천회와 관련이 있다고 생각하신 게 아닌가, 하는 부분까지 생각이 미치는 바람에 저도 모르게 소리를 내고 말았습니다. 용서해 주십시오."

"으음."

"설마……."

"네가 너무 깊게 생각했구나. 아무리 그래도 오대가문과 역모 조직이라니, 너무 나갔다."

다른 노기인들이 신음을 흘리는 가운데 운룡신창이 고개를 설레설레 저으며 장백두를 탓했다.

하지만 초일방만큼은 딱딱하게 안색을 굳힌 채 장백두를 직시하고 있었다.

장백두의 엉뚱함을 탓하던 운룡신창은 뒤늦게 초일방의 표정을 읽은 듯 이내 눈을 휘둥그레 뜨며 물었다.

"설마, 이 아이의 말이 사실이오?"

초일방은 이내 부드럽게 웃으며 말했다.

"설마 사실일 리가 있겠소?"

"허어, 그럼 그렇지."

운룡신창이 한숨을 내쉬며 안도할 때, 초일방이 계속해서 말을 이어 나갔다.

"맹주가 오대가문을 의심한 것만큼은 사실이오. 그리고 태극천맹과 오대가문의 갈등은 거기에서부터 비롯되었소."

"아!"

"으음."

사람들의 탄식이 터져 나오는 가운데 초일방의 말이 이어지고 있었다.

"사실 빌미를 준 건 우리 오대가문이기도 하오. 우선 경천회, 앞으로 경천회라고 부르겠소. 경천회 정도 되는 조직을 암암리에 만들어 그 누구에게도 들키지 않고 활동하게 할 수 있을 역량을 지닌 세력은 어디까지나 오대가문뿐이오."

"하지만 그건……."

초일방은 손을 저어 운룡신창의 입을 다물게 한 다음 계속해서 이야기했다.

"그리고 오대가문 중 한 가문에서, 저 황궁 역모 사건에 사용되었던 강시가 발견되었소."

"이런!"

"으음."

"물론 그 가문의 가주는 그게 경천회가 자신을 모략하고 함정에 빠뜨리고자 한 일이라고 강변하였고, 우리들은 그 말을 믿었소. 하지만 맹주는 그 말을 믿지 못했고, 그래서 갈등은 더욱 커지고 내분이 심화되었던 것이오."

초일방의 긴 이야기가 끝났다.

너무나도 충격적인 이야기에 장내의 노기인들이 모두 입을 다물고 심각한 표정을 짓고 있을 때, 장백두가 눈치를 살피며 조심스레 입을 열었다.

"한 가지 여쭙고 싶은 게 있습니다."

초일방은 고개를 끄덕이며 말했다.

"말해 보게."

"가주께서는 어느 쪽이십니까?"

장백두의 질문은 기묘한 점이 있었다.

누구의 말을 믿느냐는 것도, 누구의 편을 드느냐는 질문도 아니었다. 아니, 또 그 둘 다일 수도 있는 질문이기도 했다.

초일방은 가만히 그를 바라보다가 천천히 입을 열었다.

"내 이득이 되는 쪽일세."

"그렇군요."

장백두는 고개를 끄덕였다.

초일방의 말 역시 애매모호하고 기묘하기 그지없었지만, 그는 마치 원하던 대답을 들었다는 것처럼 만족스러운 표정을 지었다.

초일방은 그런 장백두의 얼굴을 지켜보다가 노기인들을 둘러보며 입을 열었다.

"자, 그럼 이제 이 늙은이가 천맹에 원군을 요청한 것에 대해 설명이 된 것 같구려."

노기인들은 아무런 말도 하지 않았다. 초일방은 잠시 그들을 둘러보다가 총관에게 시선을 돌리며 말했다.

"천맹에서 원군이 올 때까지는 모든 전력을 움직이지 말고 집결시켜 두거라."

"알겠습니다."

"그리고 악양 전체에 펼쳐져 있던 천라지망을 축소, 대복객잔과 안가 일대를 세 겹으로 에워싸도록 하라. 만에 하나 그들의 움직임을 놓쳐서는 절대 안 되는 일이다."

"그리하겠습니다."

"계속해서 빠르게 연락을 주고받을 수 있도록 전서구

백 마리와 전서응 열 마리를 준비하라. 또한 관부에도 연락해서 행여 벌어질지 모르는 불상사에 대해 미리 대비하라고 전하고."

"알겠습니다."

"그럼 가 보도록."

"존명."

지시를 받은 총관이 빠르게 대청을 빠져나갔다.

초일방은 부드러운 미소를 머금은 채 좌중을 둘러보았다. 여전히 노기인들은 각자의 상념에 젖어 아무 말도 하지 않았다. 오로지 장백두만이 눈을 반짝이며 초일방을 마주 바라보고 있었다.

그렇게 악양부 전역에 걸쳐 펼쳐져 있던 천라지망이 거둬졌다.

성문과 외곽 지역을 순찰하고 감시하던 태극천맹과 금해가의 무사들도 철수했다. 철통같던, 삼엄하다 못해 살기까지 등등하던 경비도 느슨해졌다.

그런 가운데 악양 나루에는 상덕현에서 출발한 배가 도착했고, 한 무리의 사람들이 배에서 내렸다.

그들은 별다른 검문검색 없이 생각보다 훨씬 쉽고 빠르게 성문을 통과하여 악양부 내로 들어올 수가 있었다.

6장.

강호초출(江湖初出)

구염은 코웃음을 치더니 이내 앙천광소를 터뜨렸다.
"푸하하하! 그래도 나를 이렇게까지 핍박하고 몰아세운 네 녀석이
대단한 거물이라고 생각했는데,
그래 봤자 총사(總師)의 발끝에도 미치지 못하는 애송이였구나!"

1. 가르침

"이상하네."

악양부로 들어선 설벽린이 고개를 갸웃거렸다.

"예상대로라면 태극천맹, 금해가, 관부의 인사들이 총동원된 천라지망이 쫙 펼쳐져 있어야 하는데…… 이렇게 간단히 성문을 출입해? 이래도 되는 거야?"

"그러게 말일세. 마치 아무 일도 없는 것처럼 평온하기 그지없지 않은가?"

만해거사가 주변을 둘러보며 말했다.

아닌 게 아니라 성문을 오가는 사람들은 간단한 검문만으로 가볍게 통과했다.

성문을 지키는 이들도 포두와 포쾌, 그리고 장정 몇 명이 전부였다. 분명 그들과 함께 있어야 할 태극천맹과 금해가의 무사들 모습은 어디에고 찾아볼 수가 없었다.

"너무 안심하지 마."

강만리가 주의를 건넸다.

사실 강만리 역시 나루에 내리면서 단단히 대비하고 있었다. 여차하면 훗날 문제가 되는 한이 있더라도 황제가 하사한 증패를 사용할 생각도 있었다.

대로를 따라 걷던 강만리는 문득 걸음을 멈추고 주변을 둘러보았다. 만해거사와 설벽린, 담호도 따라서 걸음을 멈추고 주위를 둘러보았다.

"왜?"

만해거사가 묻자 강만리는 여전히 주위를 둘러보면서 대답했다.

"아무래도 정보가 필요할 것 같아서 말입니다."

"정보?"

"네. 이건 꽤 수상하거든요. 이럴 때 함부로 움직이다가 큰코다칠 가능성이 큽니다."

"그건 육감인가?"

"오랫동안 포두로 재직하면서 쌓인 촉(觸)입니다."

"그게 육감이 아닌가?"

"조금 다릅니다만…… 어쨌든 저기로 가시죠."

강만리가 가리킨 곳은 삼 층으로 된 다관(茶館)이었다.

강만리는 대로 맞은편에 있는 다관으로 걸음을 옮기며 말했다.

"사람들이 종종 착각하고는 하는데, 쏠쏠한 정보가 가장 빨리, 그리고 많이 오가는 곳은 주루나 객잔이 아니라 다관입니다. 귀만 밝다면 개인의 소소한 비밀이나 불륜 같은 것부터 시작해서 강호에 떠도는 온갖 소문, 심지어 황실의 이야기까지 전해 들을 수 있으니까요."

강만리는 마치 갓 강호에 출두한 초보 강호인에게 설명하듯 그렇게 만해거사에게 이야기했다. 당연히 만해거사는 그의 자세한 설명이 의아했는지 고개를 갸웃거리며 입을 열었다.

"도대체 나를 세 살 먹은 꼬마라고 생각…… 아."

만해거사는 문득 생각나는 바가 있었는지 입을 다물었다. 그러고는 천연덕스러운 표정을 지으며 다시 말을 꺼냈다.

"그럼 다관에서 그런 정보들을 얻기 위해서는 어떻게 하는 게 가장 좋을꼬?"

'역시.'

강만리는 만해거사의 빠른 눈치에 내심 고개를 끄덕이며 말했다.

"설명보다 지금부터 제가 하는 걸 자세히 보시면 잘 알게 되실 겁니다.”

강만리는 그렇게 말하며 다관으로 들어섰다. 젊은 다박사가 그들을 반기며 물었다.

“어디로 모실까요?”

강만리는 주위를 둘러보며 대답했다.

“가장 전망이 좋은 자리로.”

“네. 그리 모시겠습니다.”

젊은 다박사는 곧 그들을 안내하여 삼 층으로 올랐다.

삼 층 창가 쪽 탁자에 자리를 잡은 강만리는 다과(茶菓)를 주문했다. 다박사가 사라지자, 강만리는 다시 주위를 둘러보며 입을 열었다.

“전망 좋은 자리는 모든 손님이 다 원하는 자리인 만큼 늘 지금처럼 북적거립니다. 이 이른 시각에도 말이죠.”

눈을 동그랗게 뜬 채 강만리의 말을 듣고 있던 담호가 목을 쭈욱 뻗어 주변을 둘러보았다.

아닌 게 아니라 삼 층 객청 자리에는 벌써 절반 이상이나 손님이 들어와 앉아 있었다. 방금 지나쳐 왔던 일 층과 이 층 객청의 한산한 모습과는 전혀 달랐다.

‘그렇구나. 확실히 이렇게 사람들이 많으면 얻어 들을 수 있는 것도 많겠네.’

담호가 홀로 생각하며 고개를 끄덕였다.

강만리와 만해거사는 그런 담호의 모습을 훔쳐보며 대

화를 나눴다.

"그렇지만 나는 너무 시끄러워서 별로인 것 같네. 이 시장 바닥처럼 시끄러운 곳에서 무슨 정보를 알아낼 수 있다는 말인가?"

"그러니까 이제부터는 선택과 집중의 시간인 셈입니다. 이곳에서 대화를 나누는 사람들 하나하나의 이야기를 잘 들어 봐야 합니다. 물론 내공이 일 갑자가 넘고 경험이 많은 경우라면 한꺼번에 모든 사람의 대화를 들으면서도 필요한 것만 쏙쏙 빼내 골라 들을 수 있겠지만, 처음에는 역시 선택이 필요합니다. 아, 저 사람들 대화가 지금 내게 중요하겠구나, 하는 선택 말입니다."

"흠, 그럼 집중이라는 건 그렇게 선택한 다음에 최대한 집중해서 들어야 한다 이건가?"

"물론 그런 의미도 있겠지만 사실 제가 말하는 집중이라는 건 조금 다릅니다. 그러니까 선택한 이들의 대화를 듣는 와중에 혹시 다른 자리에서 더욱 중요하고 은밀한 정보에 관해 이야기를 나누고 있다면, 그래서 처음 선택한 이들의 대화에 집중하다가 그 이야기를 놓치게 된다면 큰일이지 않겠습니까?"

"그렇지."

"그러니 제가 말하는 집중이라는 건 다른 탁자에서 들려오는 이야기에 대한 집중을 말하는 겁니다."

강만리는 힐끗 담호를 바라보며 말을 이었다.

"사실 어지간하면 자신이 선택한 자리의 대화는 놓치지 않고 들을 수가 있습니다. 굳이 집중하지 않더라도 말이죠. 그러니 그들의 대화를 들으면서도 다른 자리에서 혹시나 더 중요한 단어가 흘러나오는지 집중해야 한다는 겁니다."

"흠, 초보자에게는 조금 어려운 것 같은데?"

"그러니까 '단어'에 집중하라는 겁니다. 가령 지금 같은 경우라면 '금해가' 혹은 '태극천맹'이라는 단어에 집중하면 되겠죠. 과연 어느 자리에서 그런 단어가 흘러나오는지 말입니다."

"그렇군. 그러니까 우리들이 종종 말하는 '열린 귀'를 가지고 있어라 이거로군 그래."

"네, 바로 그겁니다."

담호는 강만리와 만해거사의 대화를 들으면서 '어디 나도 한번.' 하는 마음으로 금해가나 태극천맹이라는 단어에 집중하기 시작했다.

내공을 끌어올려 귀에 집중하자 삼 층 객청에서 떠드는 사람들의 목소리가 더욱 크고 선명하게 들려왔다.

처음에는 귀가 아플 정도로 시끄러운 소리였지만, 담호는 개의치 않고 그 여러 가지 소리 중에서 쓸데없고 필요없는 소리들을 하나씩 배제해 갔다.

그러던 순간, 탁자 세 개 떨어진 자리에서 두런두런 나누는 대화가 담호의 귀에 또렷하게 들려왔다.

"왜 갑자기 태극천맹와 금해가 무사들이 철수한 거지?"

담호의 눈이 반짝였다.

그는 저도 모르게 고개를 들어 그 소리가 들려온 방향을 확인했다.

마침 그때 강만리가 입을 열었다.

"주의할 것은, 자신이 원하는 단어나 이야기를 들었다고 해서 누가 그런 이야기를 하는지 확인하려 드는 멍청한 짓은 하지 않아야 한다는 겁니다."

일순 담호는 움찔 놀라서 황급히 고개를 숙였다.

'마치 날 보고 이야기하시는 것 같잖아?'

담호는 그제야 두 사람의 대화가 어딘지 모르게 이상하다는 사실을 깨달았다.

'만해 할아버지도 강호 경험을 따지면 누구보다 더 많으신 분인데 아무것도 모르는 것처럼 강 숙부께 질문하고, 또 강 숙부는 더없이 친절하고 세세하게 설명해 주셨어. 설마 그게 나더러 들으라고 했던 거였을까?'

거기까지 생각이 미친 담호는 강만리와 만해거사, 설벽린의 얼굴을 일일이 쳐다보았다. 세 사람은 마치 약속이라도 한 듯 빙긋 웃고 있었다.

담호의 얼굴이 갑자기 새빨갛게 달아올랐다.

설벽린이 헛기침을 하며 입을 열었다.

"그리고 감정 변화를 쉽게 읽을 수 있을 정도로 표정이 달라지면 안 됩니다. 자신의 감정을 숨길 줄 알아야 하고, 또 자신의 능력도 감출 줄 알아야 하죠. 상대로 하여금 방심하게 만들고 실수를 유발케 하는 것이 곧 승리의 지름길이라 할 수 있답니다."

"너, 너무해요!"

담호가 쑥스럽고 부끄러워서 어찌할 바 모르겠다는 얼굴로 말했다.

"세 분 어르신이 짜고 절 속이시다니요."

그 모습이 귀여웠는지 강만리와 만해거사, 설벽린은 저도 모르게 웃음을 터뜨렸다.

"미안, 미안."

강만리가 웃음을 참으며 말했다.

"놀리려고 한 건 아니다. 그저 네게 더 쉽고 이해하기 편하게 설명하려다 보니 그렇게 되었을 뿐이다."

만해거사도 말했다.

"허허. 원래 강호초출의 애송이들은 이런저런 놀림도 받고 그러면서 성장하는 법이지. 잘 기억해 두려무나. 강호에는 온갖 이상하고 수상하며 음흉한 자들이 많다는 걸. 그들의 말과 행동, 표정을 통해서 진실과 거짓을 가려낼 줄 알아야 하고 또 진담과 농담을 구분해야 할 줄 알아야 한다는 것을 말이다."

담호는 어쩔 줄 몰라 하다가 문득 만해거사의 이야기 속에 심오함이 깃들어 있음을 깨닫고 고개를 숙였다.

"네, 앞으로 노력할게요. 그리고 더 많이 배울게요."

"그래. 그래야지."

만해거사가 담호의 머리를 쓰다듬는 가운데, 강만리가 입을 열었다.

"다른 건 몰라도 네 설 숙부가 하는 행동과 말과 표정을 잘 보고 배우렴. 그것만 잘 따라 해도 어디 가서 절대 굶지 않을 것이고, 또 어떤 상황에서도 반드시 제 몸 하나는 건사할 수 있을 테니까."

"어라? 그거 칭찬치고는 왠지 듣기 좋은 말은 아닌 것 같은데요."

설벽린이 눈살을 찌푸리며 말했다. 강만리도 눈살을 찌푸리며 대꾸했다.

"칭찬이야. 곧이곧대로 좀 들어라."

"그런가요? 그럼 고맙게 받아들이겠습니다."

작은 소란은 게서 끝났다. 때마침 다박사가 차와 말린 과일, 과자를 가지고 돌아왔다.

세 사람, 아니 담호까지 네 사람은 다과를 즐기면서 곧 주변 대화에 집중하기 시작했다.

2. 천 근보다 무거웠다

"흠, 그렇군."

강만리는 녹차를 마시며 고개를 끄덕였다.

"그러니까 오늘 갑자기 태극천맹과 금해가의 무사들이 철수했다 이거로군."

설벽린이 마른 과일을 집으며 말을 받았다.

"그들이 남천로 쪽으로 집결하는 것 같다고 하는데, 남천로라면 대복객잔이 있는 곳이잖습니까? 아무래도 안가의 위치가 들통난 것 같습니다."

"대복객잔 점소이들 중 누군가 붙잡혀 실토한 게 틀림없겠지."

"흠, 만약 그렇다면 생각보다 황계 조직이 허술하군요. 실토하기 전에 자결이라도 해서 조직의 비밀을 지켜야 했는데 말입니다."

"글쎄. 그게 말이야 쉽지."

강만리는 엉덩이를 긁적이려다가 팔짱을 끼며 창밖을 내려다보았다.

삼 층 객청에서 내려다보는 악양부의 거리는 번화하기 그지없었다. 성도부도 나름 크고 번화한 성시였지만 악양부에 비하자면 왠지 초라한 면이 없지 않았다.

"그럼 이제 어떻게 할 게냐?"

만해거사가 과자를 우물거리며 물었다.
“네 촉이 뭐라 하는지 궁금하구나.”
“먼저 담 형님들과 연락을 취해야 합니다만…….”
강만리는 난감한 얼굴로 말했다.
“만약 저들이 악양부 전역을 에워싸던 천라지망을 축소하여 남천로 일대를 포위했다면, 진짜 물샐틈없는 포위망을 구축했을 겁니다. 남천로 주변으로는 최소한 세 겹 이상의 천라지망이 펼쳐져 있겠죠. 그런 포위망을 뚫고 어떻게 연락을 해야 하는지가 관건이겠습니다.”
“그래. 그럼 어떻게 연락을 취해야 하는데?”
“아니, 지금 그게 관건이라고 말씀드렸잖습니까?”
“으응? 사람들 말로는 그 어떤 관건도 간단하게 해결하는 게 사천의 미친 호랑이, 자네라고 하던데?”
“그게 그러니까…… 아니, 됐습니다.”
강만리는 한숨을 쉬며 중얼거렸다.
“누군가 전혀 의심을 사지 않을, 세 겹의 포위망을 뚫고 지나치더라도 전혀 상관하지 않을 사람이 필요한데…….”
그의 중얼거림을 듣던 설벽린이 문득 눈을 반짝이며 입을 열었다.
“그런 사람이 지금 우리 곁에 있잖습니까?”
“응? 누구?”
“이 녀석이요.”

설벽린은 담호를 가리키며 말했다. 강만리의 눈이 휘둥그레졌다. 덩달아 담호도 놀라 눈을 크게 떴다.

"저, 저요?"

"그래. 너."

설벽린은 어깨를 으쓱거리며 말했다.

"일반적으로 사람들은 어린아이에 대한 경계가 느슨해질 수밖에 없지. 그게 본능이거든. 그러니 너라면 충분히 세 겹의 포위망을 뚫고 안가까지 접근할 수 있을 거야."

"안 돼."

강만리가 냉정하게 잘랐다. 설벽린이 항변했다.

"아니, 그럼 지금 그 일에 담호보다 더 적합한 사람이 누가 있습니까?"

"그래도 안 돼. 너무 위험해."

강만리는 여전히 냉정하게 말했다.

"너무 담호를 믿지 못하는 게 아닙니까, 강 형님?"

"아니, 만약 담호에게 너 정도의 임기응변과 재치, 언변과 눈썰미 같은 게 있다 하더라도 안 돼."

"왜요, 강 숙부?"

이번에는 담호가 물었다.

"그건……."

강만리는 고개를 내저으며 말을 돌렸다.

"어쨌든 안 돼. 다른 방법을 찾아보자."

"제가 할게요."

담호가 끈질기게 밀어붙였다.

"아직 견식이 짧고 임기응변이 부족하고 재치도 뛰어난 편은 아니지만, 그래도 그동안 아버지 밑에서 그리고 여러 숙부 곁에서 많은 걸 배웠습니다. 그 가르침을 잊지 않고 가르침대로 따른다면 충분히 해낼 수 있다고 생각합니다."

"그래, 말 잘한다."

설벽린이 손뼉을 치자 강만리는 그를 노려보았다.

설벽린은 다시 어깨를 으쓱거리며 시선을 피했다. 하지만 여전히 그의 입가에는 싱글벙글 미소가 매달려 있었다.

강만리는 한숨을 쉬며 담호를 설득했다.

"네 능력이 부족하거나 널 믿지 못해서가 아니라 네 안전을 책임져야 하기 때문이다. 만약 네게 일이 생기기라도 한다면 내가 어찌 담 형님과 형수들을 볼 수 있겠느냐? 차라리 내 아들을 보내면 보냈지, 너는 절대로 보낼 수가 없다."

"흠, 그건 나도 동의하네."

잠자코 듣고 있던 만해거사가 오래간만에 입을 열었다. 강만리가 반색하며 말했다.

"말씀 잘하셨습니다. 저 녀석 좀 설득해 주십시오."

"아니, 내가 설득해야 할 사람은 아무래도 자네인 것 같으이."

"네?"

"물론 자네 말도 맞네. 담호에게 무슨 일이 생긴다면 자네뿐만 아니라 나나 벽린 모두 고개를 들 수가 없겠지."

"그러니까 말입니다."

"하지만 그게 두렵고 불안해서 무작정 감싸 안기만 한다면 언제 담호가 경험을 쌓고, 또 언제 성장할 수 있겠는가?"

"그건……."

"나이를 먹는다고 해서 어린아이가 어른이 되는 건 아닐세. 나이만 잔뜩 먹은, 하지만 속은 형편없는 어린아이들도 많지 않은가? 반대로 나이는 어리지만 이미 제대로 된 생각과 사고방식, 행동을 하는 진짜 어른이 된 아이도 있고."

"그야……."

"어린아이가 어른이 되는 건 한순간의 일일세. 그게 깨달음일 수도 있고 또 특별한 경험일 수도 있겠지. 누구나 경험하는 일일 수도 있고, 아니면 그 누구도 경험해 보지 못한 일일 수도 있을 것이야. 하지만 그게 두렵고 무섭고 불안해서 피한다면 결코 어른은 되지 못할 걸세. 자네, 이 아이가 영원히 우리 품 안에 있기를 바라나?"

강만리는 머뭇거리다가 한숨을 쉬며 말했다.

"물론 그건 아니죠."

"그래. 언제고 우리 품을 떠나 제대로 된 한 사람의 몫을 해내는 사내가 되겠지. 그리고 나는 그게 바로 지금이라고 생각하네."

"하지만 그래도 너무 위험합니다."

"물론 위험하겠지. 그만큼 우리가 최선을 다해 가르치고 도와주고 보조해 줘야 할 걸세. 가령 저들의 이목을 다른 곳으로 돌리고, 천라지망의 결계를 느슨하게 만들어 담호가 좀 더 통과하기 쉽게 해 주는 것도 한 방법이겠지."

불만 가득한 표정으로 만해거사의 이야기를 듣던 강만리의 조그만 눈이 반짝였다. 뭔가 괜찮은 방법이 떠오른 모양이었다.

강만리는 망설이고 망설이다가 크게 한숨을 토했다. 그러고는 차분해진 목소리로 담호에게 말을 건넸다.

"진짜 할 수 있겠느냐?"

담호는 결연한 의지가 담긴 눈빛으로 강만리를 쳐다보며 고개를 끄덕였다.

"네. 맡겨 주세요."

"죽을지도 모른다."

"두렵지 않아요."

그러자 설벽린이 혀를 차며 말했다.

"아니, 두려워해야 해."

그의 말에 담호는 의외인 듯 눈을 크게 떴다. 설벽린 역시 장난기 가신 얼굴로 담호를 보며 진지하게 말했다.

"죽음은 당연히 두려워해야 해. 그래야 어떻게든 죽지 않고 살아남으려고 바둥거릴 수 있으니까. 그렇게 악착같이 바둥거리다 보면 뭔가 수가 생기게 되거든. 하지만 죽음을 초개(草芥)처럼 여기면 보일 것도 보이지 않고, 생길 것도 생기지 않게 돼. 끝까지 버티고 끈질기게 매달리다가 보면 반드시 살아남을, 빠져나갈 구멍이 보이는 법이야. 설령 외통수에 걸렸다 하더라도 말이지."

담호는 진지한 표정으로 그의 이야기를 들었다. 강만리는 의외라는 얼굴로 설벽린을 바라보다가 불쑥 입을 열었다.

"언제나 구린 방귀[臭屁:헛소리]만 뀌던 네가 웬일이냐? 그렇게 똑바른 말을 하다니 말이야."

설벽린이 인상을 찌푸렸다.

"아휴, 형님도 참. 제가 또 언제 맨날 구린 방귀만 뀌었다고 그러십니까? 옳은 소리도 많이 하고, 현명한 의견도 꽤 내지 않았습니까?"

"뭐, 그렇다고 치자."

"뭘 또 그렇다고 칩니까?"

"그래, 똑바로 들었지?"

강만리는 담호를 돌아보며 말했다.

"네 설 숙부가 아주 아주 오래간만에 좋은 소리를 했구나. 그야말로 뼈가 되고 살이 되는 조언이다. 반드시 명심해야 한다. 알겠지?"

"네, 깊이 새겨 두겠습니다."

"좋아. 그럼 그 일은 네게 맡기마."

강만리의 말에 담호는 기쁜 얼굴로, 하지만 한구석에는 불안과 긴장감이 희미하게 깃들어 있는 표정으로 말했다.

"그럼 지금 당장 출발할까요?"

"아니다."

강만리는 고개를 저었다.

"가기 전에 이것저것 준비해 둬야 할 것들이 있거든."

"네?"

"뭐, 그건 나중에 이야기하기로 하고. 참, 안가 위치를 모르지?"

강만리는 십삼매를 통해 들었던 안가 위치에 대해서 설명했다. 담호는 눈빛을 반짝이며 집중하여 들었다.

설명을 마친 강만리가 차분한 어조로 이야기했다.

"무슨 일인지는 모르겠지만 태극천맹과 금해가 놈들이 천라지망을 펼치고 기다리는 걸로 보아 지금 당장 안가로 쳐들어갈 것 같지는 않다. 하루나 이틀 정도는 시간적 여유가 있을 것이야. 그동안 이 숙부도 네가 조금 더 편하게 잠입할 수 있도록 준비를 해 두마."

담호는 그게 어떤 준비냐고 묻고 싶은 걸 억지로 참으며 말했다.

"저도 그동안 만해 할아버지와 설 숙부께 많은 가르침을 받겠습니다. 더는 걱정을 끼치지 않도록 말이에요."

"그래. 그래야지."

강만리는 솥뚜껑 같은 손으로 아직은 어린 담호의 머리를 쓰다듬었다. 비록 미소를 짓고는 있었지만, 담호를 내려다보는 그의 마음은 천 근보다 무거웠다.

3. 제대로 된 신문(訊問)

"뭔가 알아내셨습니까?"

"아니. 아주 쇠심줄보다도 더 질기더군그래. 어떤 말을 해도 먹혀들지가 않아."

"그건 유 사부가 너무 유하셔서 그런 겁니다. 제가 한 번 해 볼까요?"

"흠, 네가 나선다니 왠지 불안해지는걸?"

"하하. 그렇다고 제가 한갓 여인에게 고문 같은 걸 하겠습니까? 단지 그쪽 바닥 사람들의 입을 어떻게 열게 하는지는 아무래도 유 사부보다 많이 알고 있을 뿐입니다."

"그리 자신만만하다면 어디 한번 해 보게. 하지만 아무리 군악 네 녀석이라 하더라도 별수 없을 게야."

"그렇게 생각하세요? 그럼 우리 내기할까요?"

"좋아. 뭘 걸까?"

"가만있자. 으음…… 에이, 됐습니다. 유 사부께 받을 게 아무것도 없네요. 내기 관두죠."

"그게 무슨 소리야? 내게 받을 게 없다니? 이래 봬도 아직 밑천 두둑하거든."

"아뇨. 사실 운룡대팔식 말고는 별게 없잖습니까? 그리고 이미 용호환영무라고, 아주 기막힌 신법을 전수받았으니까요. 그러니 괜찮습니다."

"이놈이 사람 속을 박박 긁어 놓고서 괜찮기는 뭐가 괜찮누? 내가 왜 곤륜대팔식 말고 별게 없어? 태허도룡검법(太虛屠龍劍法)도 있고, 분광뇌검(分光雷劍)도 있고, 운룡십팔해(雲龍十八解)도 있고……."

"아휴, 괜찮다니까요. 아무것도 받지 않을 테니까 내기는 없었던 걸로 하죠."

"응? 내기를 하지도 않았는데 왜 네가 이긴 것처럼 그렇게 말하는데? 어라, 아직 어르신 말씀이 다 끝나지도 않았는데 어딜 가는 게야?"

"하하하! 말씀했잖습니까? 제대로 된 신문이 뭔지 보여 드리겠다고요."

* * *

화군악은 지하석실의 문을 열었다.

안가에 변고가 생기면 그 안에서 최소 보름은 버틸 수 있도록 비상식량과 침상 등이 마련되어 있는 석실이었다. 지금은 금룡회에서 납치해 온 구미호 구염이 묶여 있는 곳이기도 했다.

화군악이 들어서자 침상에 누워 있던 구염이 코웃음을 치며 입을 열었다.

"조금 전까지 늙은이가 나를 희롱하더니 이제는 애송이가 들어오는구나."

이미 변장을 푼 화군악은 침상으로 다가가 그녀 곁에 앉으며 다정하게 말했다.

"달거리라도 하는 거야? 왜 이리 심통이 나 있어?"

"심통이 나지 않을 리가 있겠나? 이렇게 혈도를 제압당한 채 묶여 있는 것도 벌써 닷새가 흘렀다. 풀어 주기 싫으면 얼른 죽여라."

구염은 싸늘한 눈빛으로 화군악을 쏘아보며 말했다.

"죽이기는. 묻는 말에 제대로 답변해 주면 곧 풀어 줄 거야. 우리는 태극천맹이나 금해가 사람들처럼 함부로 사람을 죽이지 않거든."

"응! 듣던 중 제일 어처구니없는 소리네."

"그래. 궁금한 건 두 가지밖에 안 돼. 아까 그 노인네에게 들었으니까 잘 알겠지. 하나는 오룡두의 죽음에 대한 사실이고 다른 하나는 당신의 오빠, 구 대인이라는 자가 진짜로 존재하느냐는 거지."

"이미 대답했다. 오룡두는 지병으로 돌아가시고 사고로 돌아가셨다. 특별한 죽음은 전혀 없었다."

"당신과 관계없다고?"

"물론이다. 나와 관계가 있다면 왜 내가 회주가 되지 못했겠느냐?"

"그게 두 번째 질문과 이어지는 대목이지. 구 대인이라는 자, 아예 없거나 혹은 당신이 내세운 허수아비가 아닐까 싶어서."

"풋. 그러니까 애송이라는 거다. 여기 교룡회 사람들에게 물어봐라. 다들 구 대인에 대해서 잘 알고 있을 테니까. 그들이라면 내 오라버니가 얼마나 대단한 인물인지 하루 종일 설명해 줄 테니까."

"흠, 그렇게 대단한 인물이 교룡회 본산이 괴멸당한 지 닷새가 넘었는데 아직도 모습을 드러내지 않네? 그건 무슨 이유일까?"

“바쁘니까.”

구염은 코웃음을 치며 말했다.

“아마 지금쯤이면 북경부에서 고관대작들을 만나고 계실 게다. 우리 교룡회는 사상 최고, 최대의 조직으로 만들기 위해서 말이다.”

“그러니까 교룡회 본산이 괴멸당하고 네가 죽어도, 오로지 구 대인만 살아 있으면 교룡회가 다시 부흥할 수 있다 이거지?”

“물론이다.”

“그럼 도대체 너는 뭔데?”

“응? 뭐냐니?”

뜻밖의 질문에 일순 구염이 움찔했다. 화군악은 싸늘하게 웃으며 조롱하듯 말했다.

“넌 아무것도 아니었네? 그저 오라버니 후광을 등에 업고 호가호위하는…… 그래, 진짜 여우였구나. 구미호라는 별명이 그래서 생긴 거였나 보네.”

구염은 아무 대꾸도 하지 않았다. 그리고 화군악은 그녀게 입을 열 틈도 주지 않은 채 계속해서 말을 이어 나갔다.

“잘난 오빠 덕분에 호강을 누린 주제에 멍청하고 오만하며 사사건건 말썽만 부리다니, 네 오빠가 이 사실을 알게 되면 땅을 치고 후회할 거다. 어쩌자고 너 같은 동생을 두었는지 하늘을 원망할 것이야. 오빠 잘 둔 덕분에 높은 자리 꿰차 앉아서 말썽만 부리는 계집이라…….”

“웃기지 마!”

구염이 버럭 소리를 질렀다.

“그 자식이 한 건 아무것도 없어! 모두 내가 한 거야! 내가 한 거라고! 말썽은 그 개자식이 부렸고 오만하고 멍청한 것도, 아무것도 모르는 것 역시 그 개자식이야!”

구염은 당장이라고 화군악을 잡아먹을 것처럼 두 눈을 부릅뜨고 악을 내질렀다. 화군악은 빙긋 웃으며 말했다.

“거봐. 네 오빠는 허수아비, 쭉정이에 불과했지. 모든 건 네가 계획하고 네가 진행하고 네가 완성시킨 거지. 안 그래?”

구염은 한참이나 악을 쓰고서도 성이 풀리지 않은 듯 씩씩거리다가 길게 한숨을 토해 내며 고개를 설레설레 흔들었다.

“정말 개자식이로구나, 너는. 사람 마음을 이렇게 후벼 파다니…….”

“응. 종종 들어, 그런 말.”

화군악은 가만히 구염을 바라보다가 불쑥 입을 열었다.

“네 오라버니도 죽인 거지?”

구염이 움찔거렸다. 화군악은 그녀의 얼굴과 두 눈을

살피면서 말을 이어 나갔다.

"누구 덕분에 높은 자리에 앉은 건지도 모른 채 사사건건 훼방이나 놓고, 심지어 깔보고 무시하고 심지어 너를 내치려고까지 했으니까. 도저히 참다못해 오라버니까지 죽인 거지?"

구염은 입술을 깨물었다. 그녀의 길고 짙은 속눈썹이 파르르 떨렸다.

화군악은 계속해서 말을 이어 나갔다.

"그리고 오라버니 대신 아무나 한 명 두고서 그 역할을 맡긴 거고. 지부 사람들 중에 구 대인의 진면목을 본 사람은 없을 테니까."

구염이 다시 움찔거렸다. 화군악은 살짝 미소를 지으며 자문자답했다.

"아, 왜 그렇게 생각하냐고? 조금 전 네가 구 대인에 대해서 여기 교룡회 사람들에게 물어보라고 했잖아? 굳이 '여기' 교룡회 사람들이라고 말이지. 그건 다시 말해서 지부 사람들은 구 대인을 모를 수도 있다는 거 아닐까, 하고 생각했는데…… 어때, 내 추측이 맞아?"

구염은 입술을 깨문 채 아무 말도 하지 않았다. 하지만 내심 꽤 놀란 듯 그녀의 눈빛은 바람 앞의 촛불처럼 흔들리고 있었다.

"그럼 이제 한 가지, 네가 오룡두를 살해하고 교룡회를 장악했음에도 불구하고 굳이 네 오라버니를 전면에 내세운 건 무슨 이유에서일까, 라는 게 남았는데."

화군악은 콧잔등을 매만지다가 다시 입을 열었다.

"여인이 회주가 되는 걸 교룡회의 멍청한 놈들이 싫어해서일 수도 있겠고, 또 모든 걸 장악한 채 장막 뒤에 숨어서 조율하고 제어하고 지배하는 걸 좋아해서일 수도 있겠고…… 아니면 더 큰 뜻, 더 큰 야망과 욕망을 숨기기 위해서 혹은 아무에게도 간섭받지 않은 채 진행하기 위해서일 수도 있겠고……."

화군악은 그렇게 천천히 이야기를 하면서 구염의 표정이 어떻게 변하는지, 눈빛이 어떻게 흔들리는지, 손과 발의 움직임이 어떤지를 확인했다. 그러고는 꽤 놀란 눈으로 구염을 바라보며 말했다.

"세상에! 그거 전부 다였어? 오호, 그랬구나. 좋아, 뭐 다른 건 그렇다 치고, 도대체 더 큰 야망이 뭐야? 설마 교룡회를 가지고 태극천맹과 오대가문을 무너뜨린 후 천하제일 방파를 만들겠다는 건 아니겠지? 어라, 진짜야? 진짜 그런 야망이 있었던 거야?"

화군악은 진심으로 놀란 표정을 지었다.

순간 구염이 고개를 홱 돌려 화군악을 쳐다보았다. 그녀는 독살스럽게 이글거리는 눈빛으로 화군악을 잡아먹을 듯이 노려보며 말했다.

"왜? 나는 그런 야망을 꿈꾸면 안 되는 거야?"

화군악은 살짝 당황한 얼굴로 말했다.

"뭐, 안 될 건 없지만…… 그래도 언감생심 말이 안 되잖아?"

"뭐가 안 되는데? 여자라서? 아니면 그깟 흑방이라서? 하오문에서 겨우 벗어난 조그만 방파라서? 도대체 뭐가 안 되는데?"

"그야 뭐…… 다 안 되는 거 아니겠어?"

"그래? 픗."

구염은 코웃음을 치더니 이내 앙천광소를 터뜨렸다.

"푸하하하! 그래도 나를 이렇게까지 핍박하고 몰아세운 네 녀석이 대단한 거물이라고 생각했는데, 그래 봤자 총사(總師)의 발끝에도 미치지 못하는 애송이였구나!"

화군악은 냉정한 얼굴로 구염의 발작적인 고함을 듣다가 문득 눈빛을 빛냈다.

'총사? 총사가 누구지?'

하지만 그는 질문하지 않았다. 외려 다시 당황한 표정을 지으며 이렇게 말했다.

"그건 말도 안 돼. 아무리 총사가 대단하다고 해도 내가 총사의 발끝에도 미치지 못한다니."

"흥! 그래, 정정하마. 네놈은 총사 발가락의 때만도 못하다고 해야겠다!"

"아니, 그렇게 총사가 잘났어?"

"당연하지. 나를 이끌어 주고 교룡회를 어떻게 키워야 하는지, 그리고 내 원대한 야망을 이루기 위해서는 어떤 포석을 짜고 어떻게 계획을……."

자랑스럽게 말하던 구염은 문득 입을 다물었다. 아차, 하는 표정이 역력했다. 그녀는 다시 화군악을 죽일 듯이 노려보며 말했다.

"정말 구렁이 같은 놈이로구나. 그 뻔뻔한 혀를 놀려서 내 모든 것을 토해 내게 만들려 하다니. 됐다. 더는 말하지 않겠다. 네게 말하느니 차라리 혀를 끊겠다!"

구염은 말을 맺자마자 있는 힘껏 제 혀를 씹었다. 화군악이 깜짝 놀라 그녀의 혈을 짚으려 했지만 이미 늦었다.

그녀의 입 가득 핏물이 부글부글 끓어오르는 가운데 툭! 하고 잘린 혓바닥이 침상 위에 떨어졌다.

"하하하하!"

마치 미친년의 울부짖음처럼, 피투성이가 된 구염의 입에서 핏물과 함께 광소가 터져 나왔다.

화군악은 가만히 그녀를 바라보다가 혈을 짚었다. 그녀는 그대로 정신을 잃은 채 앞으로 고꾸라졌다. 화군악은 지혈을 하고 금창약을 혀에 발라 준 다음, 자리에서 일어나 석실 밖으로 걸어 나갔다.

석실 문 앞에는 유 노대가 귀신을 본 듯한 표정을 지은 채 우두커니 서 있었다. 아마도 화군악이 구염을 신문하기 시작했을 때부터 그 자리에 있었던 모양이었다.

화군악은 그를 보고는 어깨를 으쓱하며 말했다.

"고문 없이, 말로만 해도 알아낼 수 있는 건 다 알아낸다고 했죠?"

유 노대는 화군악의 얼굴을 한참이나 바라보다가 길게 한숨을 내쉬며 고개를 설레설레 저었다.

7장.

백팔숙객(百八宿客)

"세상 모든 걸 다 알고 있다고 생각하지 마시게, 노인장."
화군악은 진심으로 충고했다.
"우리가 아는 것보다 모르는 게 더 많은 게 세상일이니까 말이지."

1. 일곱 번째 장원

대복객잔 주변부터 샅샅이 수색하겠다고 결정을 내린 숙객들이 남천로로 이동하던 와중, 금해가에서 급전(急傳)이 날아들었다.

금해가와 태극천맹의 모든 무사들은 남천로 일대로 집결, 그곳을 중심으로 세 겹의 포위망을 구축하고 다음 명령을 기다리라는 지시였다.

"역시 내 생각이 맞았군."

이른바 백팔숙객이라 불리는 상위 고수들 중에서도 서열 이십 위 안에 드는 불패도(不敗刀) 오건양(吳乾陽)은 희미하게 미소를 지었다.

그의 뒤를 바짝 따르고 있던 개천거부(開天巨斧) 진왕천(陳旺天)이 물었다.

"그럼 이제 어찌하실 생각이십니까, 형님?"

"어찌하기는. 우리는 예정대로 대복객잔부터 시작하여 그 일대를 샅샅이 뒤지기로 한다."

"하지만 집결한 채 대기하라는 초 가주의 지시가 떨어지지 않았습니까?"

"잘 읽어 봐라. 그 대상을 금해가와 태극천맹의 무사들이라고 한정하지 않았더냐? 우리는 어디까지나 금해가나 태극천맹의 무사들이 아니니, 우리 마음대로 행동해도 괜찮을 것이다."

"으음, 과연 그럴까요?"

"뭐, 싫으면 집결지에서 대기해도 좋다."

오건양은 즉시 다른 숙객들에게 급전의 내용을 밝혔다. 그러고는 자신을 따를 사람과 급전의 내용대로 집결지에서 대기할 사람들을 가렸다.

재미있게도 이십여 명의 숙객 중 절반이 오건양을 따르겠다고 나섰다.

"왕천, 자네는?"

진왕천이 고개를 저으며 말했다.

"저는 집결지에서 대기하겠습니다."

"그래. 그렇게 해라."

오건양은 뒤끝 없는 목소리로 말했고 진왕천은 오건양에게 고개를 숙인 후, 곧바로 한 무리를 이끌고 오건양과 헤어졌다.

"멍청한 놈."

오건양은 멀리 사라지는 진왕천의 등에 대고 나직하게 욕설을 내뱉었다.

"그렇게 금해가의 개가 되어서 평생 살아라. 제 뜻과 의지대로는 아무것도 하지 못하면서 말이지."

그렇게 중얼거린 오건양은 곧 자신을 따르겠다는 열 명의 무리를 이끌고 남천로 대복객잔으로 향했다.

남천로 주변은 아직 천라지망이 완성되지 않아서 어수선하기 이를 데가 없었다.

수백 명의 무사들이 한꺼번에 모여든 데다가 그들 각각 속한 곳이 달랐으며, 또 제대로 지휘 계통조차 확립되지 않아서 마치 야시장(夜市場)이라도 선 것 같았다.

그 어수선함을 뚫고 남천로 대복객잔에 당도한 오건양은 곧 열 명의 동료들과 더불어 그 주변을 샅샅이 수색하기 시작했다.

수색 방법은 간단하면서도 기본적인 방식으로, 대복객잔을 중앙으로 두고 원형을 그리며 가까운 곳에서 먼 곳으로 수색 범위를 넓혀 가는 식이었다.

마침 안가가 위치한 주택가 쪽으로 두 명의 숙객이 배

치되었다.

쇠로 만든 주판(珠板)을 주무기로 사용하는 풍뇌산인(風雷算人)이라는 고수와 절독(絕毒)이 묻어나는 장력(掌力)을 펼치는 추혼흑장(追魂黑掌)이 바로 그 둘이었다.

두 사람 모두 정파의 고수라고도 할 수 없고 사마외도의 고수라고도 할 수 없는 정사(正邪) 중간의 인물들이었는데, 애당초 금해가에 모여든 식객들이 대부분 그런 성향을 지닌 무림인들이었다.

"음? 이상한데?"

풍뇌산인은 방금 지나쳐 온 골목길을 돌아보며 고개를 갸우뚱거렸다.

"무슨 일이오?"

앞서 걷던 추혼흑장이 걸음을 멈추고 돌아보았다. 풍뇌산인은 주판으로 머리를 긁으며 중얼거렸다.

"지금 이 골목길에서 우리가 확인한 장원이 모두 몇 곳이었소?"

"당신이 셋, 내가 셋 해서 모두 여섯 아니었소?"

"여섯 집을 확인한 게 분명하오?"

"허어. 그렇다니까."

"그런데 보시구려. 골목길 저쪽으로 장원들이 몇 곳이 있나?"

추혼흑장은 풍뇌산인이 가리키는 방향으로 고개를 돌

렸다. 골목길 좌측으로는 방금 자신들이 수색한, 조그만 장원들의 대문이 나란히 늘어서 있었다.

반면 골목길 우측으로는 담벼락으로 가려진 장원들이 있었는데, 그 수가 모두 일곱 개였다.

장원의 수를 헤아린 추혼흑장이 "에이." 하며 말했다.

"장원의 크기가 다르니까 그런 것 아니겠소?"

"아니, 잘 보시오. 이쪽 골목길 양쪽에 있는 장원들의 크기는 서로 그리 크게 차이가 나지 않소. 아무리 크기가 다르다고 한들, 장원 하나가 빌 정도의 차이는 결코 아니라는 것이오."

추혼흑장은 풍뇌산인의 말을 들으며 눈대중으로 골목길 양옆으로 늘어선 장원의 크기를 확인했다. 그러고 보니 대충 서로 비슷비슷한 규모의 장원들이었다.

"흠, 이상하군. 확실히 장원 하나가 통째로 빌 정도의 차이는 나지 않는 것 같은데."

"바로 내 말이 그거요."

풍뇌산인은 왔던 길을 다시 돌아가며 장원의 대문 개수를 헤아리기 시작했다.

"하나, 둘, 셋, 넷, 다섯, 여섯."

그러고는 이번에는 담벼락으로 둘러싸인 장원들의 수를 헤아렸다. 역시 일곱, 똑같은 골목을 두고 한쪽은 여섯 개 한쪽은 일곱 개의 장원이 줄지어 있었다.

"묘한 일이군."

풍뇌산인이 하는 양을 지켜보고 있던 추혼흑장이 머리를 긁적이며 중얼거렸다.

그렇다고 장원의 규모가 차이가 나느냐 하면 그건 또 아니었다. 다 고만고만한 장원들이 늘어서 있는데, 어떻게 하면 장원 하나가 차이가 날까.

풍뇌산인이 돌아와 눈빛을 반짝이며 말했다.

"아무래도 이곳 어딘가에 진법이 펼쳐져 있는 것 같소이다."

"진법?"

추혼흑장의 눈이 휘둥그레졌다. 풍뇌산인은 골목 안쪽 길을 날카로운 눈빛으로 살펴보며 말했다.

"그렇소. 언젠가 무곡도사(武曲道士)에게 듣기를, 없는 걸 보이게 만드는 게 진법의 전부가 아니라 존재하는 걸 보이지 않게 만드는 것도 진법의 묘용이라고 했소."

"음, 아쉽구려. 무곡도사가 이 근처에라도 있으면 불러서 좀 더 정확하게 알 수 있을 텐데, 하필이면 북쪽 외곽 지역을 수색하는 중이니……."

"그렇다고 그를 불러올 수는 없는 노릇, 우리가 한번 알아내 봅시다."

"호오, 진법에도 일가견이 있소이까?"

"어떤 방식으로 진법이 발동되는지 조금은 이해하고

있소이다."

풍뇌산인은 그렇게 말하며 다시 골목 안쪽으로 걸어갔다. 그는 한 걸음 크게 걷고는 지면의 흙을 발끝으로 그어서 표식을 남긴 후, 다시 한 걸음을 크게 걷기를 반복했다.

그렇게 골목 끝까지 걸어간 풍뇌산인은 추혼흑장을 향해 손을 흔들며 말했다.

"내가 남긴 표식이 일정한지 확인하면서 이리로 오시구려."

"그렇게 하리다."

추혼흑장은 풍뇌산인의 말에 따라 그가 발끝으로 그어서 남긴 표식을 일일이 확인하면서 걸었다. 그리고 잠시 후, 갑자기 그가 걸음을 멈췄다.

"무슨 일이오?"

지켜보고 있던 풍뇌산인이 소리쳐 물었다. 추혼흑장은 지면에서 시선을 떼지 않은 채 대답했다.

"표식이 겹쳐 있소."

풍뇌산인은 그 말을 듣고 한달음에 달려왔다. 그러고는 추혼흑장이 내려다보고 있는 지면을 살폈다. 아닌 게 아니라 대여섯 개의 표식이 거의 한자리에 겹쳐져 있었다.

"분명 크게 한 걸음씩 걷고 선을 긋는 걸 지켜봤는데, 이게 도대체 무슨 일이오?"

추혼흑장이 묻자 풍뇌산인은 대답 대신 고개를 돌려 장원 쪽의 상황을 확인했다.

장원과 장원을 경계하는 벽이 바로 그 겹쳐진 표식의 연장 선상에 세워져 있었다. 언뜻 보면 전혀 이상해 보이지 않는, 그야말로 평범한 벽이었다.

풍뇌산인은 마른침을 꿀꺽 삼키고는 그 벽을 향해 천천히 걸음을 옮겼다. 지켜보고 있던 추혼흑장이 깜짝 놀라 말렸다.

"조심하시오. 그러다가 벽에 부딪치겠소."

아니나 다를까.

풍뇌산인은 그대로 벽에 부딪혔다. 동시에 추혼흑장의 눈이 휘둥그레졌다.

"어?"

풍뇌산인이 벽에 정면으로 부딪치는 순간, 그의 신형이 거짓말처럼 사라진 까닭이었다.

추혼흑장은 저도 모르게 눈을 비비고 다시 벽을 바라보았다. 여전히 벽은 그 자리에 서 있고 풍뇌산인만이 온데간데없이 사라져 버렸다.

"설마……."

이게 진법인 겐가?

바로 이 지점에 진법이 펼쳐져 있는 것인가?

추혼흑장의 얼굴에 결연한 빛이 스며들기 시작했다. 그

는 호흡을 가다듬었다. 그리고 긴장을 풀고는 조금 전 풍뇌산인이 그러했듯이 벽을 향해 일직선으로 걸어 나갔다.

벽과 가까워질수록 그의 가슴이 심하게 두근거렸다. 그리고 벽이 얼굴을 강타할 것만 같은 순간, 그는 저도 모르게 눈을 질끈 감았다.

하지만 다음 순간, 그의 앞을 가로막고 있던 벽은 신기루처럼 사라졌고 추혼흑장은 전혀 새로운 공간 안으로 들어서게 되었다.

"어라?"

눈을 뜬 추혼흑장이 깜짝 놀랐다.

그의 바로 앞에는 풍뇌산인이 서 있었고, 풍뇌산인 앞에는 지금껏 미처 보지 못했던 장원 하나가 푸른색의 대문으로 경계를 지은 채 우뚝 서 있었던 것이다.

풍뇌산인이 그 대문을 바라보며 입을 열었다.

"이게 우리가 찾고 있던 일곱 번째 장원인 모양이오."

2. 기습

풍뇌산인과 추혼흑장은 잠시 침묵한 채 푸른색 대문과 그 너머의 장원을 훑어보다가 문을 밀었다.

문은 굳게 닫혀 있었다.

두 사람은 서로를 돌아보고는 동시에 고개를 끄덕였다. 그러고는 대문을 향해 양손을 뻗었다.

순간 가공할 위력의 장력이 뿜어져 나왔고, 그 장력에 적중당한 대문은 요란한 소리와 함께 산산조각으로 부서졌다.

두 사람은 박살이 난 대문 조각을 밟고 장원 안으로 천천히 걸어 들어갔다.

한껏 내공을 끌어올린 까닭인지, 추혼흑장의 손은 검게 변색이 되었고 풍뇌산인의 주판알은 우웅 하며 희미하게 울음을 토해 내고 있었다.

장원 내부는 골목길의 다른 장원과 크게 다를 바가 없었다. 조그만 앞마당이 있었고, 두 개의 건물이 앞마당을 에워싸듯 꺾인 채 연결된 형태의 장원이었다.

악양부의 평범한 중산층 사람들이 거주하는 장원의 모습 그대로였다.

"조심하시오."

뒤따라오던 추혼흑장이 주의를 건넸다.

"왠지 느낌이 좋지 않은 걸 보니 또 다른 진법이 펼쳐져 있을 수도 있소."

"그런 것 같소이다."

박살이 난 대문을 막 통과한 풍뇌산인은 게서 좀처럼 앞으로 걸어 나가지 않은 채 장원 내부의 광경을 세세하게 살피며 말했다.

“장원 내부의 풍경이 어딘지 모르게 아지랑이가 낀 것처럼 불투명한 걸 보면 확실히 또 다른 진법이 펼쳐져 있는 것 같소이다. 보아하니 환영진(幻影陣) 같은데, 만약 아무 생각 없이 저 안으로 걸어 들어갔다면 그 진법에 갇혀 상당한 곤욕을 치를 뻔했소.”

“호오. 저 노인네. 뭐 좀 아네.”

화군악은 객청 문 바로 옆 벽에 등을 기댄 채 중얼거렸다.

“예추 네가 밖에 설치했던 진법도 파훼하더니, 이번에는 이곳 장원에 펼쳐져 있는 진법이 칠성환영진(七星幻影陣)이라는 것도 알아내고.”

“풍뇌산인이라는 자야. 쇠로 만든 주판을 무기로 삼고, 또 쇠구슬처럼 만들어진 주판알을 암기처럼 사용하지. 철산반(鐵散盤), 산반주(散盤珠)로 꽤 유명세를 떨치던 고수였지. 또 강호 명문 정파와 교류가 많고 인맥이 넓어서 마당발로 소문이 났지. 그가 모르면 명문 정파 사람이 아니라는 소리도 있다고 했던가?”

장예추가 화군악 바로 곁에서 역시 벽에 등을 기댄 채 정면, 그러니까 박살 난 대문 쪽을 지켜보며 말했다.

“하지만 진법에도 일가견이 있다는 소리는 듣지 못했는

데…… 뭐, 취몽월영 사부도 모든 걸 다 아는 건 아니니까."

장예추의 무림에 관한 해박한 지식은 모두 취몽월영에게 배운 것들이었다.

살아생전 전설적인 신투(神偸)였던 취몽월영은 만박(萬博)이라는 또 다른 별호가 있을 정도로 강호의 대소사나 무림인들에 대해서 세세하게 알고 있었고, 죽기 전까지 장예추에게 자신의 그 모든 지식을 전해 주려 노력했다.

장예추는 팔짱을 낀 채 예리한 시선으로 앞마당을 두고 좀처럼 움직이지 않는 풍노산인과 추혼흑장을 지켜보았다.

"풍노산인 뒤의 인물은 아마도 추혼흑장인 것 같아. 저렇게 손이 검게 변색하는 무공을 익힌 자는 그리 흔치 않으니까. 또 추혼흑장의 성명절기인 흑마장(黑魔掌)의 특징이 저 검게 변한 손이기도 하고."

"참 아는 것 많아서 좋겠네."

화군악은 비아냥도 아니고 칭찬도 아닌 묘한 어조로 입을 열었다.

"그럼 저들이 금해가의 그 숙객인가 식객인가 하는 작자들인가 보군그래."

"맞아. 정확하게 말하면 수많은 숙객 중에서 백팔숙객이라 불리는 나름 서열 상위에 해당하는 고수들이야. 물론 그 안의 서열은 조금 떨어지기는 하지만."

"그런데 어떻게 여기까지 왔지? 벌써 악양부 전체를 다 수색한 걸까?"

"설마. 그냥 패를 나눠서 여기저기 수색하다가 얻어걸린 걸 거야. 만약 다른 곳을 다 수색하고 왔다면 저렇게 두 명만 찾아오지 않았을 테니까."

"그럼 어떻게 할 건데? 저대로 가만 놔둘 거야? 또 다른 놈들이 몰려올지도 모르는데."

"글쎄. 밖에 펼쳐 두었던 해시봉안진(海市封眼陣)을 파훼한 실력으로 이곳 칠성환영진까지 파훼할 수 있나 보고 싶어서."

"으음, 자존심이 걸렸다?"

"자존심까지는. 그냥 현재 내 진법 실력이 어느 정도인지 알아 두고 싶거든. 해시봉안진이 칠성환영진보다 훨씬 못 미친다면 아예 때려치워야 할 테니까."

"그럼 너는 저 무슨 산인인가 하는 늙은이가 해시봉안진도 파훼하기를 기대하고 있겠네."

"그래야 내가 덜 섭섭하지."

장예추는 문득 장난꾸러기처럼 콧잔등을 찡그리며 웃었다. 화군악은 오래간만에 보는 그의 해맑은 미소에 저도 모르게 따라 웃었다.

어딘가에서 웃음소리가 들리는 것 같았다.

"고약하군."

풍뇌산인이 눈살을 찌푸렸다.

"어딘가에서 우리가 헤매는 걸 지켜보고 즐거워하는군."

"허어, 이런 미친놈들을 다 봤나?"

추혼흑장이 버럭 성질을 내며 전면을 휘둘러 보았다. 하지만 앞마당, 그리고 건물 두 채, 그게 전부였다. 사람의 모습은 어디에고 보이지 않았다.

"썩 모습을 드러내지 못할까!"

추혼흑장은 크게 소리치며 건물을 향해 쌍장을 휘둘렀다. 가공할 기세의 장력이 질풍처럼 휘몰아쳤다. 하지만 맹렬한 기세로 쏘아지던 장력은 채 앞마당을 지나치기도 전에 신기루처럼 사라지고 말았다.

"쓸데없는 일이오. 진법을 파훼하기 전에는 아무것도 파괴할 수가 없을 것이오."

풍뇌산인은 앞마당과 건물과 장원 곳곳을 신중히 살피며 말했다. 추혼흑장이 얼굴을 일그러뜨리며 물었다.

"아예 불을 지르는 건 어떻소?"

"흠, 그건 가능할지도……."

"그럼 당장에 이 장원을 송두리째 불태워 버리는……."

"아니, 잠시만 기다리시오."

"무슨 일이오?"

"대충 이곳에 펼쳐져 있는 진법의 원리를 알아낸 것 같소이다."

"오오, 그렇소?"

"주변 기물들이 포진(布陣)해 있는 형태로 보건대, 칠칠은 사십구, 즉 칠성(七星)을 기반으로 만들어진 환영진 같소."

"그럼 파훼할 수 있겠소?"

"시간은 좀 걸리겠지만 파훼할 수 있을 것 같소."

"그럼 그동안 나는 가서 동료들을 불러오리다."

"그렇게 하는 게 나을 것 같소."

풍뇌산인의 말에 추혼흑장이 막 몸을 돌리려 할 때였다.

"그렇게 놔둘 수는 없는데?"

젊고 활달한 목소리가 그의 발길을 가로막았다.

"음?"

추혼흑장이 고개를 돌렸다. 풍뇌산인도 움찔 놀라며 고개를 들어 정면을 주시했다.

바로 그때였다.

아무것도 없던 앞마당에서 불쑥 검 한 자루가 튀어나와 풍뇌산인의 목을 찔렀다.

워낙 창졸간에 기습적으로 일어난 일이라 풍뇌산인은 미처 제대로 반응하지 못했다. 황급히 고개를 틀었지만 날카로운 검은 풍뇌산인의 목을 긋고 신기루처럼 다시 사라졌다.

피가 분수처럼 뿜어져 나왔다. 풍뇌산인은 한 손으로 목을 잡고 흘러나오는 피를 막으려 했다.

"안 돼!"

뒤늦게 추혼흑장이 소리치며 풍뇌산인을 뒤로 잡아끌었다. 풍뇌산인이 비틀거리며 물러선 순간, 앞마당에서 다시 한 자루의 칼과 한 자루의 검이 동시에 튀어나와 추혼흑장을 공격했다.

"어딜 감히!"

조금 전, 아무것도 모른 채 당한 기습과는 달랐다.

이미 상대의 기습을 대비하고 있던 추혼흑장은 새카맣게 변색된 쌍장을 휘둘러 칼과 검을 박살 내려 했다.

하지만 바로 그 순간, 칼과 검은 동시에 기묘한 변화를 일으키며 추혼흑장의 쌍장을 피하는가 싶더니 그대로 그의 옆구리를 찔러 갔다.

"이, 이건……."

양 옆구리에 칼과 검이 박힌 추혼흑장의 얼굴이 새까맣게 변했다. 어떻게든 피를 멈추려고 목을 꽉 쥔 채 주춤주춤 물러나 있던 풍뇌산인도 놀라 부들부들 떨며 중얼거렸다.

"태극혜검…… 제왕검해……. 도대체 네놈들은 누구냐?"

그랬다.

놀랍게도, 저 아무것도 없는 앞마당에서 불쑥 튀어나온 검은 무당파의 태극혜검을 운용하고 있었고, 반면 한 자루의 칼은 제왕검해의 초식을 펼치고 있었다.

직접 눈으로 보고도 믿을 수 없는 일이었다.

만약 풍뇌산인이 무당파나 남궁세가와 교류가 없었더라면 당하고서도 전혀 알아보지 못할, 절세(絕世)의 무공들이 이 외진 장원 앞마당에서 펼쳐진 것이었다.

"호오, 정말 많이 아는데? 정파 사람들과의 인맥이 넓다더니 그게 사실인 모양이야."

앞마당의 투명한 공기가 불룩해지는가 싶더니 이내 그 사이로 검을 쥔 한 명의 청년이 걸어 나왔다. 그 뒤를 이어 칼을 든 청년이 따라 나왔다.

그들의 검과 칼은 여전히 추혼흑장의 양 옆구리에 박혀 있어서, 그들이 걸어 나오자 추혼흑장은 자신의 의지와 상관없이 뒤로 밀려나야만 했다.

마치 두 개의 쇠꼬챙이에 꿰인 닭의 모습이라고나 할까. 양쪽 옆구리에서 피가 뚝뚝 떨어지는 가운데, 추혼흑장의 새까맣게 질렸던 얼굴이 점점 새하얗게 변하고 있었다.

"도, 도대체 누구냐, 네놈들은?"

풍뇌산인이 힘겹게 입을 열었다.

"무당파에서도 남궁세가에서도 네놈들 같은 자는 본

적이 없다."

"왜?"

검을 쥔 청년, 화군악이 어깨를 으쓱거리며 말했다.

"나는 당신을 본 적이 있는데, 풍뇌산인."

"그, 그랬던가?"

풍뇌산인은 정신이 어지러워졌다.

하기야 보통 당주급 인물이나 장로들과 교분을 나눴지, 저렇게 젊은 애송이들과는 거의 대화도 나누지 않았으니까.

"그래도……."

입을 여는 순간, 피가 역류하여 입 밖으로 흘러나왔다. 풍뇌산인은 쿨럭거리면서도 계속해서 말을 이어 나갔다.

"그 정도 실력을 지닌 자라면 이미 들어 알고 있어야 하는데……."

"세상 모든 걸 다 알고 있다고 생각하지 마시게, 노인장."

화군악은 진심으로 충고했다.

"우리가 아는 것보다 모르는 게 더 많은 게 세상일이니까 말이지."

"그, 그런가……."

풍뇌산인은 그 말을 남기고 앞으로 꼬꾸라졌다.

이래서 기습이 무서운 법이었다.

아무리 태극혜검의 일격이라고는 하지만 백팔숙객 중의 한 명이 제대로 반응하지 못하고 당한 건 확실히 완벽하게 기습이 성공했기 때문이었다.

무공이 떨어지는 살수가 자신보다 두 배 이상 강한 상대까지 무난히 해치우는 것 역시 바로 그 기습 때문이라 할 수 있었다.

그런 의미에서 보자면 제대로 방비하고 싸우려 들었던 추혼흑장은 꽤 당혹스러울 법했다. 성명절기인 흑마장을 제대로 펼쳐 보지도 못하고 이렇게 수치스러운 자세로 천천히 죽어 가고 있었으니까.

"움직이지 마."

마지막 힘을 다해 일격을 날리려던 추혼흑장은 때마침 들려온 그 한마디에 힘이 빠지고 어깨가 축 늘어졌다.

칼을 쥔 사내, 장예추가 차분한 어조로 말했다.

"시신이라도 곱게 남길 생각이 있다면 그대로 죽는 게 나을 테니까."

"네놈들도 결코 살아서 이곳을 벗어나지 못할 것이다."

추혼흑장이 이를 갈며 말했다.

"이미 이 근방에는 세 겹의 천라지망이 펼쳐져 있으니까 말이다."

그렇게 말한 추혼흑장은 갑자기 크게 웃음을 터뜨리더니 이내 손을 들어 자신의 천령개(天靈蓋)를 힘껏 내리쳤다. 두개골이 반으로 갈라지면서 뇌수가 사방으로 튀었다.
일세(一世)를 풍미했던 호걸의 죽음이었다.

3. 포위망

어수선하던 현장은 어느 정도 정리가 되었다.
첫 번째 포위망은 금해가의 무사들이, 두 번째는 태극천맹의 무사들이, 그리고 마지막 세 번째 포위망은 백팔숙객들이 맡기로 하면서 일은 일사천리로 진행되었다.
그렇게 남천로 일대에 세 겹의 포위망이 완성된 후, 동네 사람들은 더 이상 그곳을 드나들 수 없게 되었다.
마침 남천로 일대에 있던 사람들은 밖으로 나올 수 없었다. 남천로에 살고 있던 사람들이라도 안으로 들어갈 수가 없었다.
바로 코앞에 집을 두고도 들어가지 못하는 상황이 발생하자 동네 사람들의 원성이 커졌지만, 금해가에서 준비한 배상금에 이내 입이 찢어졌다.
"잠이야 어디서 자도 되지 않겠습니까?"
"그럼 고생하십시오."
대부분의 동네 사람들은 희희낙락하며 자리를 떴고, 반면 배상금에도 만족하지 못하고 항변하거나 불만을 토해 내는 자들은 관부의 포두와 포쾌들이 압송하여 옥에 가뒀다.

그렇게 세 겹의 포위망을 구축한 수백 명의 무사들은 금해가에서 내려올 명령만을 기다리며 제자리에서 꼼짝하지 않았다.

* * *

대복객잔을 중심으로 해서 원형으로 수색 범위를 넓혀 가며 인근 건물을 모두 샅샅이 뒤졌지만 결국 아무런 소득이 없었다.

불패도 오건양은 살짝 낭패의 빛을 떠올린 채 다른 방향으로 수색을 나선 동료들이 돌아오기를 기다렸다. 시간이 흐르고 두 사람씩 조를 짰던 동료들이 돌아오기 시작했다.

하지만 아무리 기다려도 동북쪽 방향의 수색을 맡았던 풍뇌산인과 추혼흑장은 돌아오지 않았다.

"무슨 일이 생긴 걸까?"

"어쩌면 이곳에서 다시 만나자는 약속을 잊고 금해가로 되돌아간 건 아닐까?"

기다림에 지친 동료들이 수군덕거리기 시작했다.

오건양은 주위를 서성이며 생각에 잠겼다. 지금껏 단

한번의 패배도 없었다는 그의 칼이 이리저리 흔들리고 있었다.

"우리가 움직이도록 하세."

이익고 오건양을 결정을 내리고 동료들에게 말했다.

"풍뇌산인과 추혼흑장이 맡았던 방향으로 다시 한번 수색을 시작합시다."

동료들은 귀찮은 표정을 지었지만, 다들 끄응, 하며 자리에서 일어나 안가가 위치한 방향으로 걸음을 옮겼다.

그때였다.

"예서 뭣들 하고 계시오?"

등 뒤에서 매서운 질책의 목소리가 들려왔다.

오건양은 눈을 가늘게 뜨며 뒤를 돌아보았다. 한 무리의 금해가 무사들이 다가오고 있었다.

그중 선두에 선 인물, 그러니까 방금 매서운 질책을 날린 자를 확인한 순간 오건양의 얼굴이 살짝 일그러졌다.

'이런, 하필이면 저자가…….'

그는 금해가 무사들의 총지휘를 맡은 천호대군(天虎大君)이라는 자로, 평소 놀고만 먹는 숙객들을 영 마땅치 않게 생각하는 인물이었다.

오건양은 무뚝뚝한 목소리로 대꾸했다.

"수색 중이오."

천호대군은 눈살을 찌푸리며 말했다.

"수색을 멈추고 제자리로 돌아가시오. 명을 듣지 못하셨소?"

"듣지 못했소."

"듣지 못했다면 지금 들으면 되겠구려. 초 가주의 명이오. 백팔숙객은 세 번째 포위망을 구축하라. 됐소?"

오건양은 매서운 눈빛으로 천호대군을 노려보았다. 천호대군 역시 전혀 물러서지 않고 마주 보았다.

분위기기 심상치 않음을 직감한 금해가 무사들의 손이 병장기에 닿았다.

동시에 오건양이 입을 열었다.

"금해가의 밥을 빌어먹고 사는 처지, 당연히 가주의 명을 받들어 모셔야죠."

"잘 생각하셨소."

"그럼 먼저 가시오. 우리는 아직 수색 중인 동료가 돌아올 때까지 기다렸다가 가겠소."

"아니, 우리가 기다리겠소."

천호대군은 고개를 저으며 말했다.

"어느 숙객이 아직 오지 않았소?"

오건양이 대답하지 않자, 뒤에 서 있던 숙객 중 한 명이 입을 열었다.

"풍뇌산인과 추혼흑장이 아직 오지 않았소."

"알겠소이다. 그럼 어서 가 보시오."

천호대군의 축객령에 오건양을 입술을 깨물고는 천천히 입을 열었다.

“그들이 돌아올 때까지, 끝까지 이곳에서 기다리셔야 하오.”

“내가 알아서 할 테니 어서들 가시오. 진짜 이렇게 명령에 따르지 않을 거요?”

천호대군이 짜증을 내자 오건양의 이마에 굵은 힘줄이 새겨졌다. 그때 뒤에서 다른 숙객들이 그를 잡아당기며 말했다.

“천호대군께서 어련히 알아서 잘하시지 않겠소? 만약 그 두 형제들을 찾지 못하면 그때 가서 책임을 물으면 되니까 이 정도에서 물러납시다.”

옳은 말이다.

오건양은 솟구치는 화를 억누르며 천호대군을 한 차례 노려본 후 바람 소리 세차게 몸을 돌려 자리를 떠났다.

“흥!”

천호대군이 코웃음을 쳤다.

“책임을 묻겠다? 얼마든지 묻도록 하라.”

천호대군은 곧바로 몸을 돌려 자리를 뜨려고 했다. 수하들 중 한 명이 조심스레 물었다.

“그럼 두 분 숙객은?”

“그들이 어린아이더냐?”

천호대군은 냉랭한 어조로 말했다.

"돌아와서 동료들이 없는 걸 확인하면 어련히 알아서 찾아갈까. 늑대 같은 자들이니 동료들의 냄새 하나는 기막히게 잘 맡을 것이다. 가자."

천호대군은 망설임 없이 걸음을 옮겼고, 수하들은 황급히 그 뒤를 따랐다.

* * *

"이것 참 큰일이구먼."

유 노대가 곰방대를 쩝쩝 빨면서 말했다.

"조 영감을 만나서 대금도 챙겨야 하는데, 남천로 일대에 세 겹 포위망이 구축되었다니…… 이제 나가지도 들어오지도 못하게 생겼군그래."

"거기에다가 아직 담 형님이 움직일 수 없는 상황이다 보니 일이 조금 귀찮게 되었습니다."

장예추의 말에 화군악이 어깨를 으쓱거리며 말했다.

"세 겹 포위망이라고 해서 겁먹을 것 없다고. 천라지망이라고 해도 결국 거미줄에 불과하니까."

장예추가 가볍게 눈살을 찌푸리며 말을 받았다.

"조금 전에 상대했던 풍뇌산인이나 추혼흑장이 저들의 전부라고 생각하면 오산이야. 그들은 백팔숙객 중에서는 말석(末席)에 있는 인물들이거든."

"상관없어."

화군악은 거들먹거리며 말했다.

"내 태극혜검과 네 제왕검해만 있으면 그 누구도 우리의 앞을 가로막을 수 없어. 그리고 내가 담 형님 몫까지 싸울 테니 너는 형수와 유 사부만 지켜 줘."

"아니, 왜 날 골방 늙은이 취급을 하는데?"

유 노대가 발끈하자, 화군악이 헤헤 웃으며 말했다.

"그럼 유 사부께서도 한 자리 차지하고 싸우시겠습니까?"

"당연하지. 아직 이래 봬도 어지간한 자들은 일격에 쓰러뜨릴 수 있다고. 나이 좀 먹었다고 무시하지 말란 말이지."

그렇게 자신만만하게 말하던 유 노대는 이내 아차 하는 얼굴이 되었다. 화군악이 싱글벙글 웃고 있는 걸 보았던 것이다.

화군악은 그렇게 웃으며 정중하게 말했다.

"그럼 선두는 유 사부께 맡기겠습니다. 저와 예추는 담 형님과 형수를 지킬 테니까요."

'이런. 이번에도 또 내가 당한 모양이구나.'

유 노대는 한숨을 쉬며 고개를 절레절레 흔들었다.

8장.

기묘한 대치(對峙)

"흐음. 그렇게 나오실 건가, 정 맹주?"
초일방의 인자하고 푸근한 얼굴에 살기가 스며들었다.
하지만 그는 곧 고개를 저으며 중얼거렸다.
"아니, 어쨌든 고맙게 받아들여야지. 지금은 내가 철저하게 을(乙)이니 말이지."

1. 갈등

기묘한 대치 국면이었다.

한쪽은 목표물이 어디 있는지 모르는 상황에서 무작정 포위망을 구축하고 있었고, 또 한쪽은 어떻게 빠져나가야 할지 모르는 상황에서 무작정 시간을 보내고 있었다.

언뜻 보면 말도 안 되는 상황이 연출되고 있었지만, 그래도 잔잔해 보이는 물밑으로는 많은 일이 쉬지 않고 계속해서 벌어지고 있었다.

* * *

"아직도 안 왔다는 말이오?"

불패도 오건양은 풍뇌산인과 추혼흑장을 수소문하고는 인상을 찌푸렸다.

대복객잔 일대에 대한 수색을 종료하고 세 겹 포위망을 구축한 지도 벌써 이틀째로 접어들었다. 그런데 풍뇌산인과 추혼흑장은 아직도 돌아오지 않고 있었다. 분명 뭔가 변괴가 생긴 게 틀림없었다.

"혹시 금해가에 연락은 해 봤소?"

오건양의 물음에 동료 숙객 중 한 명이 고개를 끄덕이며 대답했다.

"어제 연락을 취했는데 오늘 아침, 아무도 그들을 보지 못했다는 전갈이 왔소이다."

"허어, 이것 참."

오건양은 눈살을 찌푸렸다.

또 다른 동료 숙객, 오건양과 함께 대복객잔 수색에 참여했던 자가 조심스레 입을 열었다.

"천호대군에게 물어봐야 하지 않겠소? 분명 그때 그 자리에서 그들이 올 때까지 기다린다고 약조하지 않았소?"

"흥!"

오건양은 코웃음을 쳤다.

"그 작자가 그곳에서 계속 기다렸겠소? 우리가 자리를 뜨자마자 돌아갔을 게 분명하오."

오건양은 마치 천호대군의 행동을 지켜본 것처럼 정확하게 추측하며 말했다.

"그 작자를 믿느니 동네 똥개를 믿는 게 더 현명할 것이오. 하지만 그를 만나서 따지는 건 나쁜 일이 아닐 것 같소. 풍뇌산인과 추혼흑장의 실종에 대한 책임 소재를 분명히 가려야 할 때가 있을 것 같으니 말이오."

오건양은 그렇게 말한 후 곧장 자리를 떠 천호대군을 만나려고 했다.

하지만 세 번째 포위망을 책임지고 있는 칠절우사(七絕羽士)가 그를 제지했다.

"어딜 가시려나?"

맡은 바 자리를 벗어나 첫 번째 포위망 쪽으로 향하던 오건양은 귀찮게 되었다는 표정을 지으며 정중하게 말했다.

"일이 있어서 잠시 자리를 비우려고 하오."

선풍도골(仙風道骨)의 칠절우사는 차분한 어조로 말했다.

"급한 용무가 아니라면 자리를 뜨지 않았으면 좋겠는데."

"급한 용무요. 함께 수색에 참여했던 풍뇌산인과 추혼흑장이 이틀째가 되었는데 아직 돌아오지 않고 있소이다. 분명 뭔가 일이 생긴 게 분명하오."

"흐음."

칠절우사는 자신이 생명처럼 아끼는 탐스러운 수염을 쓰다듬으며 잠시 생각하다가 입을 열었다.

"알겠소. 내가 알아보리다."

오건양은 가볍게 눈살을 찌푸렸지만 차마 거친 언성을 토해 내지는 못했다. 대신 이틀 전에 있었던 천호대군과의 일에 대해서 설명하고는 그를 만나 따져야 한다고 주장했다.

가만히 듣고 있던 칠절우사가 고개를 설레설레 흔들며 한숨을 쉬었다.

"참 오 형은 유별나오. 왜 그리 금해가 무사들과 싸우지 못해서 안달이오?"

오건양이 눈을 크게 뜨며 되물었다.

"아니, 언제 내가 금해가 무사들과 싸우지 못해서 안달을 했다고 그러시오?"

"한 달 전, 기억나지 않소?"

"아, 그건……."

오건양이 머쓱한 표정을 지었다.

한 달 전, 술에 취해 금해가로 들어서려다가 금해가 무사들과 한바탕 싸움이 벌어졌고 그 와중에 세 명의 금해가 무사가 중상을 입었다. 천호대군이 오건양을 극도로 싫어하게 된 원인 중의 하나였다.

칠절우사가 차분하게 말했다.

"내가 알아서 처리하겠소. 그러니 오 형은 자리로 돌아가서 맡은 바 일에 충실하기 바라오."

오건양은 입술을 깨물었지만 더 이상 항변하지 못했다.

칠절우사는 전대의 노기인, 백팔숙객 중에서도 상위 다섯 손가락 안에 드는 절정의 고수였다.

오건양 같은 독불장군조차 한 수 접어들고 들어갈 정도의 실력자인 동시에, 또한 공명정대하고 온건한 성품으로 인해 숙객은 물론 금해가 사람들의 존경을 받는 인물이기도 했다.

"잘 부탁드리겠소이다."

오건양은 어쩔 도리 없이 그 한마디를 남기고 제자리로 돌아갔다.

칠절우사는 가슴까지 길게 드리운 새하얀 수염을 쓰다듬으며 곰곰이 생각하다가 전령(傳令)을 불렀다.

칠절우사의 지시를 받은 전령은 곧장 세 번째 포위망을 떠나 두 번째 포위망을 통과, 첫 번째 포위망의 사령부로 향했다.

천호대군은 떨떠름한 기색으로 칠절우사의 전령을 맞이했다. 전령은 허리를 숙인 채 칠절우사의 전언(傳言)을 전했다.

"풍뇌산인과 추혼흑장의 일이 어찌 되었는지 알고 싶으시답니다."

천호대군은 눈살을 찌푸리며 말했다.

"그날 오후 늦게까지 기다렸으나 돌아오지 않아 포기하고 자리를 떴다고 전하라."

"알겠습니다."

전령은 다시 돌아와 칠절우사에게 그대로 전했다. 언제나 온화하고 침착함을 유지하던 칠절우사의 표정이 살짝 일그러지는 듯했다.

"그렇다면 왜 그 소식을 나나 오 형에게 전하지 않았지? 그렇게 묻도록 하라."

전령은 또다시 천호대군에게로 달려갔다.

"워낙 일이 많아서 잠시 잊고 있었다고 전하라."

전령은 천호대군의 전언을 들고 칠절우사에게 보고했다. 칠절우사가 한숨을 쉬며 말했다.

"잊을 게 따로 있지, 이건 본 숙객들을 눈 아래로 보는 처사라고 따지거라."

전령은 곧장 천호대군에게로 달려가 곧이곧대로 전했다. 천호대군이 피식 웃으며 말했다.

"더 이상 할 말이 없군. 맡은 바 임무에 충실하기나 하라고 전하게."

전령의 전언을 들은 칠절우사는 허어, 하며 탄식했다.

"어차피 금해가에서 함께 밥을 먹는 식구이자 똑같이 초 가주에게 충심(忠心)을 바치는 처지인데, 왜 이리 서로 잡아먹지 못해서 안달인지 모르겠구나."

전령은 칠절우사의 눈치를 살피며 물었다.

"그리 전할까요?"

"아니다. 됐다. 더 이상의 문답은 아무런 소용이 없는 것 같구나. 그만 가 보도록 해라."

전령을 떠나보낸 칠절우사는 잠시 상념에 젖었다.

비록 백팔숙객의 말석이라고는 하나, 풍뇌산인과 추혼흑장은 강호의 고수들임이 분명했다.

그런 자들이 수색 중에 실종을 당했다는 건 확실히 큰 문제였다. 저 교룡회를 괴멸시키다시피 한 흉수들에게 당했을 가능성이 컸다.

칠절우사는 고민하다가 금해가의 초 가주에게 이 사실을 전해야겠다고 마음먹었다.

"천호대군처럼 꽉 막힌 분이 아니시니 현명한 판단을 내려 주실 게다."

칠절우사는 그렇게 중얼거리며 전서구를 담당하는 자를 찾았다.

2. 자질(資質)

칠절우사가 금해가로 전서구를 날릴 무렵, 안가에서는

박수 소리가 터져 나왔다.

"와! 이제 거동하실 수 있게 되셨군요!"

화군악은 진심으로 기뻐하며 손뼉을 쳤다. 복도를 따라 객청으로 걸어 나온 담우천은 창백한 얼굴에 어색하지만 담담한 미소를 띠며 말했다.

"걱정을 끼쳐서 미안하다."

담우천은 곧 유 노대를 향해 고개를 숙이며 말을 이었다.

"걱정을 끼쳐서 죄송합니다."

"아닐세, 아니야."

유 노대는 손사래를 젓고는 얼른 자리를 만들어 주었다.

"이리 앉게."

담우천이 천천히 자리에 앉았다.

"그래, 몸은 좀 어떤가?"

"덕분에 많이 좋아졌습니다."

담우천은 담담한 어조로 말했다.

"이삼 일 정도 지나면 어느 정도 마음대로 움직일 수 있을 것 같습니다."

"허어, 정말 놀라운 회복력이군그래."

"아닙니다. 군악과 예추의 도움이 아니었으면 이렇게까지 빠르게 회복하지 못했을 겁니다. 이 자리를 빌어서 다시 한번 감사드리네."

담우천이 고개를 숙이자, 화군악과 장예추가 펄쩍 뛰면

서 손을 흔들었다.

"아이고, 그러지 마세요. 형님이 그러시니까 온몸에 소름이 다 돋습니다."

"가족끼리 공치사 같은 건 하지 않는 법이잖습니까?"

장예추의 말이 끝나자 화군악이 무슨 생각을 했는지 흐흐 웃으며 말했다.

"대신 나중에 크게 갚으셔야 합니다."

담우천이 미소를 머금으며 고개를 끄덕였다.

"그래야지. 원한은 두 배로 갚고, 은혜는 열 배로 갚으라는 말도 있으니까."

"그나저나 형수는 왜 안 보이십니까?"

"며칠 내내 잠도 자지 않고 간호하다가 내가 일어선 걸 보고는 긴장이 풀렸는지 곧바로 쓰러져 자고 있네."

"아…… 형님은 진짜 형수에게 잘하셔야 합니다."

"그래야지."

담우천은 고개를 끄덕인 후 곧바로 화제를 돌렸다.

"염요에게 들었는데, 지금 이 근방에 세 겹의 포위망이 구축되어 있다고?"

일순 화군악의 얼굴에서 장난기 어린 웃음이 사라졌다. 그는 한숨을 내쉬며 고개를 끄덕였다.

"네. 어젯밤 잠시 나가서 염탐해 봤는데, 정말 철통같은 경계를 서고 있더라고요. 아무리 저라 하더라도 그 경계망을 뚫고 밖으로 나갈 수 없어서 다시 돌아왔습니다."

유 노대가 곰방대를 입에 물며 말했다.

"그나저나 왜 포위망만 구축하고 있는지 모르겠구나. 벌써 이틀째로 접어들었는데도 아직 꿈쩍하지 않고 있으니 말이지."

장예추가 말을 받았다.

"뭔가를 기다리고 있는 게 아닐까 싶습니다만."

"뭔가라면?"

"어쩌면 태극천맹이나 다른 가문들의 원군을 기다리는 게 아닌가 생각됩니다."

일순 유 노대의 눈이 휘둥그레졌다.

"원군? 저 자존심 강하고 긍지 높은 오대가문에서 원군을 요청했을 거라고?"

장예추는 진중한 얼굴로 대답했다.

"금해가의 초일방을 다른 가문의 가주들과 같게 생각하시면 안 됩니다. 초일방은 무인이라기보다 상인에 가까운 인물이고, 원래 장사꾼은 자신의 이익을 위해서라면 얼마든지 허리를 숙일 수 있는 법이니까요."

화군악이 고개를 끄덕이며 말했다.

"그 의견에는 나도 동의해. 원군을 기다리는 게 아니고서는 지금 이 기묘한 대치 국면을 설명할 방법이 없으니까."

유 노대가 다급한 표정을 지으며 말했다.

"그럼 우리도 이대로 가만있을 수는 없지 않겠나? 가뜩이나 두텁고 철통같은 포위망에 세 겹이나 처진 상황에서 다른 오대가문이나 태극천맹의 원군까지 오게 된다면…… 그때는 그야말로 사면초가에 빠진 것과 다름없게 될 텐데."

"아마 오대가문은 아닐 것 같습니다."

장예추는 차분한 어조로 말했다.

"우선 무적가와 철목가는 금해가보다 자신들의 일에 더 집중해야 할 상황이니 절대 원군을 보낼 처지가 아닙니다."

"그럼 건곤가와 천왕가는?"

"천왕가의 경우에는 사오 년 전 강 형님과 싸우는 과정에서 다른 가문들의 도움을 요청했다가 결국 거절당한 바가 있습니다. 그래서 금해가가 그들에게 지원을 요청하지는 못했을 것 같습니다."

"그럼 건곤가는?"

"건곤가의 경우에는 황궁 역모 사건 이후 사실 다른 가문들과 약간의 거리를 두고 있는 상황입니다. 비록 그 누구도 입을 열어 직접 말하지는 않지만 그래도 다들 건곤가가 저 황궁 역모 사건과 관련이 있지 않을까 하는 의구심을 갖고 있으니까요."

"흠. 그렇다면 태극천맹에게 도움을 요청했겠구먼."

"아시다시피 천맹의 맹주는 오대가문을 무너뜨려야만 비로소 태극천맹이 온전하게 무림의 지주로 자립할 수 있다고 생각하고 있습니다. 그러니 금해가의 요청을 받았다 하더라도 대규모의, 혹은 최고 정예 고수들을 보내지는 않을 겁니다. 또한 무슨 이유를 들어서라도 차일피일 시간을 미룰 게 분명합니다."

"너무 낙관적인 생각이 아니더냐?"

"그럴 수도 있겠습니다만 현재 주어진 정황들을 보건대 방금 말씀드린 제 추측이 가장 합당하다고 생각합니다."

"그렇군."

유 노대는 곰방대를 물고 빼끔거리며 연초를 피우기 시작했다.

비록 장예추로부터 나름대로의 낙관적인 견해를 듣기는 했지만, 그렇다고 해서 지금의 이 답답한 상황이 타개되는 건 아니었다.

여전히 그들은 세 겹의 포위망 속에 꽁꽁 갇혀 있었고, 시간이 흐르면 폭발하는 폭탄처럼 언젠가는 태극천맹의 원군이 이곳으로 몰려올 게 분명했으니까.

"하지만 시간이 꼭 저들의 편이라고는 볼 수 없을 겁니다. 그러니 너무 답답해하지 마세요, 유 사부."

화군악이 웃으며 말했다. 유 노대는 곰방대의 재를 털고는 눈을 끔뻑거리며 물었다.

"그게 무슨 말이냐?"

"말 그대로거든요."

화군악은 어깨를 으쓱거리며 말했다.

"우선 시간이 흐르면 우리 담 형님의 상태도 지금보다 훨씬 좋아질 테고요. 어쩌면 예전보다 더 강한 모습으로 돌아올지도 모릅니다. 어쨌거나 제 '자소단'과 예추의 대환단을 복용하셨으니까요."

화군악은 일부러 자소단이라는 단어를 힘주어 말했고, 또 대환단이라는 단어는 흘리듯이 발음했다. 장예추가 쓴웃음을 지으며 말했다.

"참 너는 엉뚱한 곳에서 그렇게 티를 낼려고 하더라."

"그야 내 마음이지."

화군악은 다시 어깨를 으쓱거리고는, 유 노대를 향해 계속해서 말했다.

"그리고 둘째, 오송이라는 점소이의 말을 빌어 보건대 대복객잔의 조직원들 대부분이 살아서 도망쳤다고 했거든요."

"그랬지."

"그들은 악양 인근에 있는 황계 지부로 달려갔을 테고, 황계 지부에서는 십삼매에게 연락을 취했을 겁니다."

"아."

"그리고 십삼매는 강 형님께 이야기를 했을 거고요. 아무리 아옹다옹해도 결국 십삼매는 우리와 한배를 탔으니까 말입니다."

유 노대가 고개를 끄덕이며 말했다.

"그러니까 우리도 황계와 만리의 원군이 있을 거다, 이거로군그래."

"황계는 모르겠지만 강 형님은 반드시 달려와 주실 겁니다."

화군악은 문득 눈빛을 반짝이며 말을 이었다.

"어쩌면 벌써 이곳에 와 계시는지도 모르죠. 그날 이후 제법 시간이 흘렀으니까 말입니다."

* * *

"강 숙부는 어디 가셨어요?"

담호가 물었다.

"벌써 모습을 못 뵌 지 이틀이나 된 것 같은데요."

아닌 게 아니라 강만리는 이곳 악양부에 당도하여 숙소를 정한 바로 그날, 어딘가로 자취를 감췄다.

"글쎄. 그건 네가 신경 쓸 바가 아닌 것 같은데."

설벽린은 탁자에 발을 올려놓은 채 말린 과일을 하나씩

집어 먹으며 말했다.

"너는 가서 만해 사부에게 서장의 그 요술 같은 무공이나 배우고 있으라고."

"요술 같은 무공이 아니라 유가공(瑜伽功)이네."

만해거사의 목소리가 들려왔다. 설벽린은 황급히 탁자에서 발을 내리고 고쳐 앉았다. 그는 웃는 낯으로, 막 객청에 들어서는 만해거사를 보며 물었다.

"일은 다 보셨습니까?"

"일이라고 할 것도 없지. 그저 근처 한 바퀴 산책하고 왔을 뿐이니까."

날렵하고 청수한 모습의 만해거사가 탁자 앞에 앉자 담호가 서둘러 차를 대령했다.

"항아리처럼 뚱뚱해지셨다가 지금처럼 날렵해지셨다가…… 정말이지 정신을 차릴 수가 없네요."

설벽린이 혀를 내두르며 말했다.

"한 가지 모습으로 다니시면 안 됩니까?"

"왜 안 되겠나?"

만해거사는 담호가 가지고 온 차를 마시며 말했다.

"단지 너무 뚱뚱한 모습으로 돌아다니면 사람들의 이목을 끌게 될 것이고, 또 쉽게 그들의 뇌리에 각인될 터. 지금은 이런 모습이 훨씬 낫다고 생각했을 따름이네."

"하지만 그 모습으로 돌아다니시다가 혹 옛 동료들과

마주치면 어쩌시려고요? 이야기를 들어 보니 이곳 악양부에 무정검왕 말고도 백도의 노기인들이 여럿 있다고 하던데요."

"괜찮네. 아, 맛있게 끓였구나."

만해거사의 칭찬에 담호가 웃으며 말했다.

"감사합니다."

만해거사는 다시 설벽린을 향해 말을 이어 나갔다.

"젊었던 시절과는 많이 달라진 얼굴이니까. 지금의 내 얼굴을 보고 과거 독응의선 시절의 나를 떠올릴 사람은 전 무림을 통틀어서 불과 서너 명밖에 되지 않을 걸세. 그중의 한 명이 유 늙은이고."

"그럼 다행이고요."

설벽린은 얼른 화제를 돌렸다.

"아호, 아니 이제 제대로 이름을 불러 주기로 했지? 담호 녀석의 진전은 좀 어떻습니까?"

"아, 자네를 가르칠 때보다 열 배는 빠르게 실력이 느는 것 같더군."

"아이고, 왜 또 저와 비교하시고 그러십니까?"

"그래야 자네의 이해가 빠를 테니까."

만해거사의 거침없는 언사에 설벽린은 항복했다는 듯이 길게 한숨을 내쉬고 고개를 저었다. 만해거사는 담호를 향해 자애롭게 웃으며 말했다.

"유가밀공(瑜伽密功)은 그 발상이 독특하고 기이해서 강호의 일반 무공들과는 그 궤가 전혀 다르지. 그래서 강호의 무공에 익숙한 무인들은 유가밀공을 접하게 되면 우선 당황해하고 머리가 어지러워서 뭐가 뭔지 전혀 갈피를 잡을 수 없게 되거든."

"저도 그랬습니다."

"자네는 더 심했고."

"칫."

"유가밀공을 익히기 어려운 건 바로 그 때문일세. 하지만 모든 선입견과 기존의 사고방식을 버리고, 보다 유연하고 능동적으로 받아들이면 또 그처럼 쉽고 간단하게 이해되는 무공도 없거든."

거기까지 말한 만해거사는 다시 담호를 향해 미소를 지으면서 말을 이었다.

"우리 담호는 아직 어려서 그런지, 아니면 사고의 유연함을 타고난 건지 아주 쉽게 유가밀공의 원리와 요결을 이해하더라고. 허허. 죽기 전에 내 진전을 전해 줄 만한 녀석을 만나서 참으로 다행이라고 생각하네."

"아휴, 그런 말씀 마세요."

설벽린이 웃으며 말했다.

"만해 사부는 건강하고 정정한 모습으로 저보다 더 오래 사실 것 같으니까요."

"나도 그리 생각하네."

만해거사가 당연하다는 듯이 수긍하자 설벽린은 더 이상 말을 하지 못했다.

"하지만 세상일이라는 건 언제 무슨 일이 벌어질지 아무도 모르는 법, 이렇게 후사를 부탁할 녀석을 찾게 되니 확실히 마음이 편해지더군."

만해거사는 문득 웃으며 말을 맺었다.

"아, 물론 벽린 자네보다는 오래 살 걸세."

설벽린이 투덜거렸다.

"정말이지, 내 주변의 노친네들은 다 왜 나를 못 잡아먹어서 안달인지 모르겠다니까."

3. 급보(急報)

"풍뇌산인과 추혼흑장이 대복객잔 일대를 수색하다가 실종했다는 보고가 들어왔습니다. 추측건대 안가에 있는 흉수들에 의해 살해당한 게 아닐까 싶습니다."

"흠, 그렇게 함부로 돌아다니지 말라고 누누이 일렀거늘."

"불패도 오건양이 그와 동조한 열 명의 숙객들과 함께 독단적으로 벌인 행동이라고 합니다. 칠절우사는 물론 천호대군 측에서도 그런 보고가 들어왔습니다."

"그냥 놔두도록 하라."

"그러기에는 본가의 무사들과 숙객들의 사이가 썩 좋지 못합니다."

"알고 있다. 그냥 놔두도록 하라."

"존명."

초일방은 두툼한 턱살을 매만지며 중얼거렸다.

"그래도 숙객들의 독단적인 행동 덕분에 한 가지 소득이 있기는 했군그래. 어쨌든 놈들이 도주하지 않고 계속해서 안가에 머물러 있다는 걸 알게 되었으니까 말이지."

허리를 숙이고 있던 총관이 말했다.

"당시 무정검왕이 중상을 입었지만 그 흉수들 중 우두머리 격으로 보이는 중년인도 상당한 부상을 입었다고 했습니다. 아마도 그를 치료하기 위해서 계속 안가에 머물러 있는 게 아닐까 싶습니다."

"그렇겠지. 중상자를 데리고 이동하는 것처럼 위험한 일은 또 없으니까. 그래, 다른 보고는 없느냐?"

"태극천맹의 원군이 내일 오후 무렵 당도할 것 같습니다."

"호오, 그래? 생각보다 늦었지만 그래도 다행이군."

"수는 대략 오백 명 정도이며, 원로 십여 명과 호광성전의 부전주까지 동행하고 있다고 합니다."

"겨우 그 정도더냐?"

초일방의 얼굴이 살짝 일그러졌다.

"내가 친히 글을 작성하여 보냈거늘, 겨우 원로 십여 명이 전부란 말이지?"

"죄송합니다. 현재 전해진 바로는 그들이 전부인 것 같습니다."

"호오, 이건 진짜 한번 해보겠다는 것 같은데."

초일방은 딱딱하게 굳어진 얼굴로 중얼거렸다.

오대가문 중 하나인 금해가 가주의 친서(親書)였다. 초일방은 그 친서에 상황이 위중하니 최대한의 병력을 차출해 달라고 확실하게 명시했다.

최소한 원로 오십 명, 천맹 본산의 절정 고수 백 명, 그리고 호광성전주가 직접 수백 명의 수하를 이끌고 올 것으로 생각하고 보낸 글이었다.

그런데 원로는 십여 명에 불과했고, 본산에서는 따로 고수를 차출하지 않았으며, 호광성의 전주가 아닌 부전주가 따라나섰다니.

이건 초일방과 금해가, 아니 오대가문 전체를 모욕하는 것과 다르지 않았다.

"흐음. 그렇게 나오실 건가, 정 맹주?"

초일방의 인자하고 푸근한 얼굴에 살기가 스며들었다. 하지만 그는 곧 고개를 저으며 중얼거렸다.

"아니, 어쨌든 고맙게 받아들여야지. 지금은 내가 철저하게 을(乙)이니 말이지."

초일방은 다시 총관을 향해 말했다.

"보고가 끝났으면 이제 돌아가도 좋다."

"그럼 이만 물러가겠습니다."

총관이 몸을 돌리려는 순간이었다. 대청 밖에서 다급한 목소리가 들려왔다.

"급보가 날아들었습니다!"

총관이 움찔 놀라며 당황해하더니, 초일방을 향해 빠르게 말했다.

"속하가 알아보고 오겠습니다."

초일방이 고개를 저었다.

"아니, 급보라 하지 않더냐? 어서 안으로 들라 하라."

초일방의 말에 대청 문이 열리고 한 명의 무사가 뛰어들어왔다. 그는 초일방 앞에서 황급히 무릎을 꿇고 조아린 후 다급한 어조로 말했다.

"급보입니다. 오천여 군사가 남문을 향해 다가오고 있다는 소식입니다."

"군사? 지금 군대가 움직이고 있다는 말이더냐?"

초일방이 고개를 갸웃거리며 묻자 오체투지한 무사가 떨리는 목소리로 대답했다.

"그렇습니다. 호광 도지휘(都指揮) 소속 위지휘사사(衛

指揮使司)의 오천육백 군사가 일제히 남문을 향해 이동 중이라고 합니다."

보고를 들은 초일방은 별거 아니라는 투로 말했다.

"그저 일상적인 군사 훈련 중의 하나가 아니겠느냐? 그런 걸 가지고 호들갑까지 떨 건 없다."

"그, 그게…… 문제는……."

"문제라니?"

"남문으로 입성하여 북문으로 이동하려면 반드시 남천로 일대를 거쳐야 합니다."

"음?"

일순 초일방의 얼굴이 굳어졌다. 납작 엎드린 무사가 벌벌 떨며 말을 이었다.

"다시 말씀드리자면 남천로 일대에 구축해 둔 세 겹의 포위망과 저 오천여 군사가 정면으로 부딪치게 됩니다."

"허어!"

초일방의 얼굴이 굳어졌다.

느닷없이, 그야말로 생각하지도 않았던 엉뚱한 일이 터진 것이다.

* * *

"커어. 정말 맛있구려."

대접 한 사발을 단숨에 들이켠 악나한은 두툼한 손등으로 거칠게 입술을 닦으며 감탄했다. 장백두가 재차 대접에 술을 따르며 웃었다.

"오십 년 묵은 하순주(下脣酒)입니다. 그야말로 남자들에게 있어서는 더없는 보약 중의 보약인 게죠."

"하하. 하순주가 있다는 건 말로만 들어 봤지 이렇게 직접 마셔 본 것은 처음이오. 정말이지 오십 평생 마신 그 어떤 술보다도 더 맛있소이다."

악나한은 입맛을 다시며 다시 두 번째 사발을 단숨에 들이켰다.

하순주의 하순(下脣)은 일반적인 아랫입술이 아니라 여인의 음순(陰脣)을 뜻하는 말이었다.

즉, 하순주는 아직 초경(初經)을 시작하지 않은 소녀들의 하문(下門)에 머금게 하여 음기를 축적한 술을 의미했으며, 그 방식이 매우 음란하고 사악하다고 해서 나라의 법으로 금지시킨 주조 방식의 술이었다.

하지만 하순주는 비밀리에 만들어져서 은밀하게 유통되었고, 회춘과 정력의 증강을 희망하는 돈 많은 갑부나 고관대작들이 정력제처럼 마시는 술이기도 했다.

"그 한 사발에 은자 백 냥이 넘는, 아니 오십 년 묵은 하순주이니 무려 오백 냥이 넘는 가치를 지녔을 겁니다."

"이렇게 귀한 술을 대접받다니, 정말 몸 둘 바를 모르겠소이다.”

장백두의 말에 악나한은 감탄하면서도 다시 세 번째 사발을 내밀었다. 장백두는 그 귀하고 값비싼 하순주를 아낌없이 따라 주면서 말했다.

“아닙니다. 겨우 이깟 술을 통해서 어르신 같은 명망 높은 분들과 교류를 가질 수 있다는 게 외려 더 영광이죠.”

“크으!”

단숨에 세 번째 술잔을 비운 악나한은 입술을 훔치며 장백두를 바라보았다.

사실 악나한은 명망 높은 인물이 아니었다. 무림인들에게 존경을 받지도 못했고 그렇다고 무공이 뛰어난 것도 아니었다.

단지 그는 잔인한 것을 좋아하고 남들이 모르는 수백 가지의 고문 방법을 알고 있었으며, 또한 남들보다 쉽게 죄수들의 입을 열게 할 수 있을 뿐이었다.

악나한은 그 특기로 인해 금해가의 식객이 되기는 했지만, 또 그 특기로 인해 다른 식객과 숙객들에게 따돌림을 받는 처지가 되었다.

그래서 악나한은 언제나 혼자였으며, 이렇게 융숭한 대접을 받아 본 적도 없었다.

그렇다고 해서 악나한이 멍청하거나 어리석지는 않았다. 외려 죄수들로부터 원하는 대답을 끌어내기 위해서는 언제나 냉정을 잃지 않아야 하고 영활하게 머리를 굴려야만 했다.

지금도 마찬가지였다.

세 사발의 하순주를 단숨에 마신 악나한은 살짝 취한 듯 보였다. 그러나 여전히 그의 눈빛은 싸늘하고 잔인해 보였다.

물론 웃는 낯으로 장백두를 대하고는 있지만, 지금 이 융숭한 대접 뒤에는 분명 그만한 대가를 요구해 올 게 분명하다는 사실도 잘 알고 있었다.

하지만 장백두는 쉽게 요구를 하지 않았다. 그는 연달아 하순주를 따라 주었고, 또 악나한이 온갖 산해진미를 마음껏 먹게 놔두었다.

결국 지친 건 악나한이었다.

다섯 번째 대접의 술을 비운 악나한은 장백두가 따르는 하순주를 마다하며 입을 열었다.

"자, 이제 원하는 걸 말씀하시구려."

그는 음흉하게 웃으며 말했다.

"내가 해 드릴 수 있는 건 다 해 드릴 테니 말이오."

장백두는 밝게 웃으며 물었다.

"황계의 안가가 어디 있는지 아시죠?"

9장.

위지휘사사(衛指揮使司)

"분명 이번 행군에 대한 책임을 지시는 겁니다?"
"물론이오."
강만리는 증패를 들어 보이며 말했다.
"이 증패와 이 증패를 하사하신 분께서 책임지실 것이니 도 지휘사는 염려하지 않으셔도 되오."
일순 도원겸은 저도 모르게 움찔거렸다.

1. 장사꾼의 덕목

“무슨 일이래? 전쟁이라도 난 건가?”
“설마. 그냥 평상적인 군사 훈련이겠지.”
“하지만 근 이삼 년 동안 저 정도의 대규모 병력이 이동하는 건 처음 보는걸?”
“허허. 자네, 겨우 일개 위지휘사사의 병력을 가지고 대규모 병력이라니, 아직 진짜 대규모 병력이 이동하는 걸 보지 못한 게로군. 적어도 십만 대군 정도 되어야 진짜 대규모 병력이라고 하는 걸세.”
“호오, 자네는 그럼 십만 대군이 이동하는 걸 본 적이 있나?”

"물론이지. 칠 년 전이었던가, 저 동북의 여진(女眞)을 억제하기 위해서 병력을 출동시킨 적이 있지 않았나? 마침 그때 내가 조그마한 상단을 꾸려서 구산평(丘山平) 일대를 지나가고 있었는데, 이야! 진짜 지진이라도 난 것처럼 천지가 진동하더니 그 십만의 대군이 순식간에 그 넓은 평원을 개미 떼처럼 새까맣게 뒤덮지 뭔가?"

건너편에 앉아서 차를 마시고 있는 세 명의 부유한 장사꾼 차림의 중년인들이 나누는 이야기는 이내 엉뚱한 곳으로 흘러가고 있었다.

더 이상 들을 필요가 없다고 생각한 설벽린은 만면에 미소를 머금고 담호를 향해 말을 건넸다.

"강 형님이 어디 계신지 알 것 같구나."

"연락이 되셨어요?"

귀엽다면서 다박사가 공짜로 가져다준 튀김 과자를 맛있게 먹고 있던 담호가 눈을 반짝이며 물었다.

그러자 설벽린은 혀를 쯧쯧 차면서 고개를 저었다.

"그러니까 아직 안 되는 게다. 그렇게 먹으면서도 귀는 항상 열어 둬야지. 우리가 굳이 이렇게 다관을 찾아와서 차를 마시고 말린 과일과 과자를 먹는 건, 이 다관의 차 맛이 좋아서가 아니지 않더냐?"

설벽린은 마치 담호의 사부라도 된 양 근엄한 표정으로 소년을 나무랐다.

“당연히 최근 악양부의 돌아가는 상황에 대해서 정보를 수집하기 위함이 아니더냐? 그런데 그 튀김 과자에 홀려서 다른 사람들의 이야기를 듣지 않다니…… 그게 바로 경험이 부족하다는 것이다.”

“죄송해요, 설 숙부. 너무 맛있어서 미처 그 생각을 하지 못했어요.”

담호는 순순히 잘못을 시인하고 사과했다.

“흠, 도대체 얼마나 맛있기에 그러느냐? 음? 오호, 정말 맛있구나. 이건 따로 돈을 받고 팔아도 될 것 같은데? 이런, 이렇게 맛있는 걸 너만 줬단 말이지? 아주 고약한 놈이네. 주려면 다 줘야지.”

설벽린은 튀김 과자를 우걱우걱 씹으며 투덜거렸다.

원래 이 튀김 과자는 호북 지방의 전통 음식 중 하나인 환희단(歡喜團)을 응용하여 구슬처럼 아주 조그맣게 빚어 만든 것으로, 멥쌀을 개서 소를 싸고 참깨를 묻혀서 기름에 튀긴 달콤하고 바삭한 과자였다.

담호는 웃음을 참으며 물었다.

“그런데 강 숙부는 지금 어디 계세요?”

“아, 그 이야기를 하다가 말았지?”

설벽린은 남아 있던 환희단을 마저 집어 먹은 후, 기름 묻은 손을 탁자에 벅벅 문지르며 입을 열었다.

“사흘 전 우리가 이곳에 도착한 바로 그날 오후, 강 형님은 아무 말도 하지 않고 악양부를 떠났지. 무엇을 하러 어디에 갔을까?"

담호는 망설이다가 대답했다.

"처음에는 남천로 일대의 상황을 파악하러 가신 게 아닐까 생각했어요. 하지만 하루가 지나고 이틀째로 접어들면서 아, 뭔가 계획이 있으신가 보다. 그렇게 생각이 바뀌었고요."

"왜? 행여 염탐하러 갔다가 잡혔을 가능성은?"

"설 숙부나 만해 할아버지가 너무 태평하셔서요. 그럴 리는 없을 거라고 생각했어요."

"정답. 그럼 무엇을 하러 어디로 갔을까?"

"음…… 그래서 고민해 봤는데, 가기 전에 우리가 나눴던 이야기를 떠올려 봤거든요? 그때 제가 세 겹의 포위망을 뚫고 안가로 접근하기 위해서 보다 더 좋은 방법이 있다고 하신 걸로 기억해요."

"흠. 대충 그런 이야기를 했었지."

"그래서 그 방법을 찾으러 가신 게 아닐까 생각했어요."

"맞아. 그럼 어떤 방법을 찾았을까?"

"그건……."

담호가 말꼬리를 흐리자 설벽린이 웃으며 말했다.

"그것 봐라. 거기까지 생각했다면 문제는 거의 다 푼

셈이다. 거기에 약간의 정보만 더하면 완벽한 해답을 얻을 수 있겠지. 그런데 너는 그 튀김 과자에 정신이 팔려서 그 약간의 정보를 얻을 기회를 놓친 게야.”

“다시는 그런 실수를 하지 않을게요. 언제 어디서든 귀를 열어 두고 눈을 크게 뜨고 있을게요.”

“좋아. 그런 마음가짐이라면 내가 그 약간의 정보를 알려 주마. 저 맞은편 장사꾼들 보이지?”

담호는 고개를 돌리거나 시선을 옮기지 않은 채 설벽린이 이야기한 사람들을 훑어보았다. 그 모습을 본 설벽린은 내심 감탄했다.

-주위를 살필 때라도 고개를 돌리거나 시선을 옮기지 마라. 사람을 살펴볼 때는 눈보다 코와 귀를 더 이용하라.

지금 담호는 사흘 전 흘러가는 말처럼 이야기했던 그 조언을 잊지 않고 그대로 실천하고 있었다.

‘이야, 진짜 가르치는 맛이 있네. 왜 사람들이 이 녀석에게 온갖 것을 가르쳐 들려고 하는지 이제야 알겠네.’

설벽린이 내심 고개를 끄덕이며 중얼거리고 있을 때, 담호는 이미 장사꾼들의 대화에 집중하고 있었다. 장사꾼들은 마침 사업 이야기를 하는 중이었다.

"그리고 보니 벌써 내일로 다가왔군그래. 과연 얼마에 낙찰될지 궁금하다니까."

"자네는 얼마를 써 낼 생각인가?"

"하하, 그걸 말해 주면 안 되지. 어디까지나 공정한 입찰이 되어야 하니까 말일세."

"그나저나 경매에 부칠 줄 알았는데 입찰이라니, 원래 조 노야가 경매 방식을 가장 선호했잖은가? 그래서 이번에도 경매가 될 줄 알았는데 말이지."

"생각보다 너무 많은 자들이 몰려들었다더군. 오십 명 정도면 한곳에 모여서 경매할 수도 있겠지만, 무려 백 명이 넘게 왔다는 게야. 또 거기에다가 요 근래 악양부 상황도 흉흉하고 그러니까, 많은 사람이 한 장소에 모이는 걸 꺼려 한 것일지도 모르지."

"그나저나 생각보다 대단한 물건이 나왔더군. 나는 수십 년 동안 값비싼 물건을 사고팔았어도 이렇게 피서주와 피독주, 피한주가 한꺼번에 나온 건 처음 보네."

"그렇지. 만약 물주가 조 영감이 아니라 다른 사람이었다면 사기일 거라고 의심부터 했을 거네."

"나는 아예 악양부로 오지도 않았겠지."

"그렇지? 어쨌든 최소 은자 사백만 냥의 거래라니, 진짜 오래간만에 승부욕이 끓어오르는군그래."

중년인 중 한 명의 말에 일순 다른 중년인들의 눈빛이

반짝였다.

'오호, 저 친구는 최소 사백만 냥을 생각하고 있었구나.'

'이런…… 내가 써 내려고 했던 액수보다 조금 많은데? 입찰 금액을 다시 생각해 봐야겠군그래.'

이야기 도중에 은자 사백만 냥이라는 금액을 입 밖으로 흘린 중년인은 짐짓 모르는 척 향기로운 차를 마시며 속으로 중얼거렸다.

'그래. 네 녀석들은 은자 사백만 냥 언저리에서 입찰 금액을 써라. 나는 은자 오백오십오만 냥을 적을 테니.'

꽤 오랫동안 거래하고 신뢰를 쌓은 관계였다. 좋은 정보가 있으면 서로 알려 주기도 하거나, 혹은 담합하여 물건을 싸게 매입하거나 혹은 비싸게 팔기도 하는 사이였다.

동료이자 전우라고도 할 수 있는 그들이었지만, 가끔은 이런 식으로 서로를 속이기도 했다. 그게 장사꾼이고, 또 장사꾼의 덕목이었다.

나중에 자신이 당한 걸 알게 되면 진심으로 상대의 속임수나 사기 방식에 감탄하고 칭찬한다. 그리고 다시 그 수법을 배워 다른 상대에게 써먹기도 하고, 혹은 또 다른 방법으로 자신을 속인 자에게 더 큰 손실을 입히기도 한다.

요컨대 속임수든 사기든 거짓말이든, 바로 그 자리에서 들통만 나지 않으면 되는 것이다. 그 자리에서 걸리면 몇 배, 몇 십 배로 배상을 해야 하지만 이미 계약서를 쓰고 도장을 찍으면 그것으로 끝이었다.

이른바 사기와 속임수와 거짓말은 장사꾼들의 무용담이었다.

한참 동안 그들의 대화를 듣던 담호는 살짝 시무룩한 표정을 지으며 설벽린을 바라보았다.

설벽린이 웃음을 참으며 물었다.

"왜? 듣고 싶었던 이야기가 나오지 않더냐?"

"네."

"그것 봐라. 그래서 시기가 중요한 게다. 적당한 때와 기회는 쉽게 오는 법이 아니거든."

"명심할게요, 설 숙부."

설벽린은 진지한 담호의 얼굴을 바라보면서 이 정도에서 그만해도 되겠다 생각하고 천천히 입을 열었다.

"조금 전 저 장사꾼들은 악양부 남문 외곽 지역에서 위지휘사사의 병력이 남문으로 이동 중이라는 대화를 나눴단다. 전쟁도 일어나지 않았는데 그만한 병력이 갑자기 이동하는 건 의아한 일이라면서 말이지."

담호는 고개를 갸웃거리며 물었다.

"위지휘사사가 뭔데요?"

"이런."

설벽린은 가볍게 눈살을 찌푸렸지만, 생각해 보니 위지휘사사 같은 걸 알 리가 만무한 나이이기도 했다.

설벽린은 이왕 시작한 거 처음부터 자세히 설명해 주기로 마음먹고 천천히 입을 열었다.

2. 산 교육

"민적(民籍)과 군적(軍籍)이 뭔지는 아느냐?"

어느새 설벽린의 말투는 아이들을 가르치는 훈장(訓長)의 그것과도 닮아 있었다. 담호는 진지하게 눈을 반짝이며 고개를 저었다.

"모르는데요."

"그럼 게서부터 이야기하자. 우리 백성들은 말이지, 태어나면 모두 민적에 등록이 된단다. 그리고 그 민적을 바탕으로 호패를 만들지. 왜, 호패에 보면 성명, 나이, 태어난 해의 간지(干支)가 적혀 있지 않더냐? 그게 다 민적을 바탕으로 만들어지는 게다."

"저는 호패가 없는데요?"

"아, 호패는 열여섯 살이 되어야 만들 수가 있단다. 호패가 있으면 어른, 없으면 아이 뭐 그런 게지. 그리고 애

초 민적에 등록되지 않은 경우에는 호패도 나오지 않지. 아마 너는 저 변방 외진 곳에서 태어나 담 형님이 민적에 올리지 못했을 게다."

거기까지 말한 설벽린은 어깨를 으쓱거리며 말을 이었다.

"그리고 무림인 중에는 아예 호패를 받지 않는 사람들도 있단다."

"왜요?"

"귀찮다고 말이지. 그깟 패가 아니라 칼이나 검이야말로 자신의 신분을 증명할 수 있다면서 말이지."

"호쾌하네요."

"뭐, 그런 면도 없지 않지. 어쨌든 이제 민적은 잘 알겠지?"

"네."

"그럼 군적은 뭐냐? 간단하게 말하자면 군인의 호적이라고 할 수 있겠다. 뭐 모든 이에게 병역의 의무가 있다고는 하지만, 그렇다고 해서 실질적으로 나라의 모든 사내들이 다 군대에 갈 수는 없겠지? 농사도 지어야 하고 장사도 해야 하고 사기도 쳐야 하고 싸움질도 하고 술도 먹고 계집질도 해야 하니까 말이지."

설벽린의 말에 담호의 얼굴이 살짝 붉어졌다.

그러거나 말거나 설벽린은 계속해서 이야기를 늘어놓았다.

"그래서 평상시의 일반 백성들은 군대에 가지 않고 대신 세금을 낸단다. 반면 군적에 등록된 이들은 세금을 내지 않고 병역을 하면서 녹봉도 받지. 또 군가(軍家)라고 해서, 뭐랄까 군사(軍士)를 직업으로 삼는 자들의 가문이라고나 할까. 그런 게 있어서 그 가문의 사내들은 어렸을 적부터 군사 훈련을 받고 나이가 차면 정식 군사가 되어 일반 사병들을 지휘한단다."

"무림으로 치자면 세가 같은 곳이네요."

"그렇게 볼 수도 있지. 어쨌든 평상시, 그러니까 전쟁을 하기 위해 일반 백성을 대상으로 모병하지 않는 지금 같은 시절에는, 모든 군사가 다 전문가라는 걸 뜻하는 게다."

"음, 그렇군요."

"그 전문가들 백 명이 모인 곳을 백호소(百戶所)라고 했고, 그들을 지휘하는 자를 백호(百戶)라고 한단다. 그럼 백호소 열 개를 합친 곳은?"

설벽린의 질문에 담호가 냉큼 대답했다.

"천호소(千戶所)겠네요?"

"그렇지. 그리고 그들을 지휘하는 자의 관직은 천호라고 했지. 뭐 정확하게 따지자면 천 명이 조금 넘기는 하지만 말이야. 어쨌든……."

설벽린은 차 한 잔을 마시며 목을 축인 다음 헛기침을

시작으로 계속해서 말을 이어 나갔다.

"그리고 다섯 개의 천호소가 모여서 일위(一衛)가 되니, 바로 위지휘사사가 그것이란다. 정확하게 오천육백 명이라고 하는데 그것도 때에 따라서 달라지기는 하지."

"아, 아까 말씀하신 위지휘사사가 바로 이거네요."

"그렇단다. 그리고 위지휘사사를 관장하는 조직이 도지휘사사(都指揮使司)라는 곳인데 보통 한 도지휘사사는 그 밑으로 이십 개에서 삼십 개 정도의 위(衛)를 둔다고 하더구나."

"와아, 그럼 도지휘사사의 수장은 십만 명에서 거의 삼십만 명 가까운 군대를 지휘하는 거네요."

"그렇지. 하지만 그게 또 과장된 숫자일 수도 있단다."

"네?"

"아니, 뭐 거기까지는 이야기하기 그렇고…… 어쨌든 중요한 건 인근 지역에 주둔하고 있던 위지휘사사가 갑자기 악양부 남문을 통과하려고 한다는 게야. 자, 여기에서 질문. 네 강 숙부의 별호가 뭐더라?"

담호는 이번에도 재빠르게 대답했다.

"무림포두요."

"그래. 그 별호가 어떻게 생겼는지 아느냐?"

"네. 이야기 들었어요. 황제 폐하를 뵙는 자리에서 폐하께서 직접 무림포두라는 증패를 하사하셨어요. 그 중

패에는 모든 관군은 이 패를 지닌 자에게…… 아!"

빠르게 입을 놀리던 담호는 그제야 비로소 어찌 된 영문인지 깨달았다는 듯이 탄성을 올렸다.

설벽린이 빙긋 웃으면서 말했다.

"그래. 바로 그거란다. 모든 관군은 무림포두의 증패를 지닌 자의 지시에 따라 모든 편의를 제공해야 한다. 이제 잘 알겠느냐?"

"네."

담호는 빨이 상기된 채로 말했다.

"그러니까 사흘 전 갑자기 이곳을 떠난 이유가 바로 그 위지휘사사를 움직이게 하기 위해서이셨군요. 그리고 그들이 남문을 통과하여 북쪽으로 이동하려면 반드시 남천로 일대를 지나가야 하고, 그러면 남천로 주변을 에워싸고 있는 세 겹의 포위망이 절로 허물어지게 되는 거죠!"

"쉿, 소리 낮추거라."

"아, 네."

담호는 얼굴이 벌게진 채로 황급히 입을 다물었다. 설벽린이 설교하듯 말했다.

"우리가 저 장사꾼들의 말을 엿듣듯이 누군가 우리의 대화를 엿들을 수가 있다는 걸 항상 명심하거라. 중요하거나 비밀스러운 이야기를 할 때는 주의를 게을리하지 말고, 그게 귀찮다면 안전한 곳에서 대화를 나누는 게 더 좋겠지."
"네, 조심할게요."
담호는 그렇게 대답하면서 주위를 둘러보았다. 다행스럽게도 그들의 대화에 귀를 기울이는 자들은 없는 것 같았다.
설벽린의 말은 계속해서 이어졌다.
"강호라는 곳은 아주 사소한 것에서 성공과 실패가 갈라지고 승리와 패배가 나뉘고 삶과 죽음이 결정된단다. 그깟 실수, 다음에 잘하면 되지 하는 건 진짜 위험하고 어리석은 생각이란다. 한번 실수를 하고서도 살아남았다면 그야말로 천운이 따랐다는 뜻이다. 그러니 실수를 두려워하고 실수를 경계하며 실수를 반복해서는 절대 안 되는 것이다. 잘 알겠느냐?"
"네, 명심하겠습니다."
"하지만 그렇다고 해서 실수하기를 두려워하기만 하면 또 안 된다는 게 참으로 어려운 일이지."
"네?"
"모순 같은 말이지만 실수하기를 두려워한다면 매사 소극적이고 방어적으로 변할 수밖에 없거든. 그렇게 움츠러들기만 하면 역시 성공과는 거리가 멀어지고, 승리는 저 멀리 날아갈 수밖에 없지. 그러니 때로는 실수를 각오하고서라도 대범하고 과감하게, 적극적으로 움직일 필요가 있단다."

거기까지 말한 설벽린은 문득 미소를 지었다.

"연륜이 쌓이고 많은 경험을 하다 보면 언제 과감해야 할지, 또 언제 수비적으로 움직여야 할지에 대해서 직감적으로 알게 될 것이다. 그러니 더 많은 경험을 쌓고, 그 경험을 통해서 끊임없이 정진하기를 바란다."

"감사합니다, 설 숙부."

담호는 진심을 담아 고개를 숙였다. 그때 늙수그레한 음성이 층계 쪽에서 들려왔다.

"허허, 무슨 이야기를 그리 재밌게 하누?"

볼일이 있다면서 아침 일찍 홀로 숙소 밖으로 나갔던 만해거사였다.

"볼일은 끝나셨습니까?"

설벽린은 담호 옆자리에 앉는 만해거사를 보며 물었다. 만해거사는 끄응, 소리와 함께 팔다리를 두드리며 말했다.

"에구구, 범정산에 은거하고 있는 동안 모든 게 많이 변했더구나. 산천(山川)은 의구(依舊)한데 인걸(人傑)은 간데없네, 라고나 할까. 내가 알던 자들이 모두 사라졌더라고."

"아, 지인을 만나서 가셨던 겁니까?"

"그래. 이번 일에 혹시 도움을 받을 수 있을까 했는

데…… 허허, 다들 이미 죽거나 혹은 어디론가 은거하여 자취를 찾을 수가 없지 뭔가?"

만해거사는 너털웃음을 흘렸다. 마침 차박사가 다가왔고 만해거사는 차와 요기를 때울 수 있는 간단한 요리를 주문했다.

설벽린은 물끄러미 그 모습을 지켜보면서 문득 만해거사가 불과 한나절 사이에 십 년은 더 늙어 보인다고 생각했다.

"그래, 무슨 이야기를 그리 재밌게 하고 있었누?"

주문을 받은 차박사가 아래층으로 내려간 후 만해거사는 설벽린과 담호를 번갈아 바라보며 물었다.

설벽린은 장사꾼들을 통해 들었던 위지휘사사의 이동에 대해서 간략하게 이야기했다. 그것만으로도 만해거사는 무슨 영문인지 알아차린 듯 고개를 끄덕이며 감탄했다.

"허어, 역시 강 장주일세. 뭔가 수를 낼 거라고는 생각했지만 세상에, 군대를 움직일 줄이야."

"그러니까요. 그 멧돼지 같은 외모를 가지고 어찌 그런 여우 같은 꾀를 내는지 모르겠습니다."

"그래서 외모에 속지 말라는 이야기가 있는 게지. 곰 같은 여우, 여우 같은 곰, 늑대 같은 양, 양 같은 늑대. 살아 있는 모든 것들 하나하나마다 고유의 특성과 개성이 있는데, 굳이 그걸 뭉뚱그려서 특징 지으려 하는 것처럼 어리석은 일이 없는 게야."

만해거사의 말에 설벽린이 고개를 끄덕이며 말을 받아이었다.

"맞습니다. 계집은 이렇고 사내는 저렇고 늙은이는 어쩌고 젊은이는 저쩌고, 뚱뚱한 사람은 그렇고 무식하게 생긴 사람은 요렇고 기생오라비처럼 생긴 사람은 어떻고…… 그런 게 다 무지에서 오는 선입견이자 개인의 특성에 대한 몰이해에서 비롯된 편견인 거죠."

"허어, 그렇게 말하기에는 조금 전에 멧돼지 어떻고 여우가 어떻고 하지 않았느냐?"

"하하, 그거야 농처럼 한 말이죠. 설마 제가 진심으로 그리 생각하겠습니까?"

설벽린은 웃었고 만해거사도 웃었다.

담호는 가만히 두 사람의 대화를 들으면서 새롭게 깨닫고 있었다.

겉모습이 주는 선입견과 특정한 편견을 버려라. 한 부류가 아닌 개인의 특징과 개성을 살피고 이해하라. 외양이 아닌 본질을 파악하라.

마치 두 사람은 두런두런 나누는 대화를 통해서 담호에게 그런 이야기를 하는 듯했고, 담호 또한 그들이 말하고자 하는 바를 정확하게 이해하고 받아들였다.

'정말 잘 선택한 것 같아.'

담호는 내심 중얼거렸다.

'만약 그때 작은엄마를 따라서 계속 마차를 타고 갔더라면 이렇게 살아 있는 교육은 받지 못했을 거야. 몸으로 직접 부딪치고 경험하고 이해하고 깨우치는 이런 것들이 훨씬 더 나를 크게 만들고 또 제대로 된 한 사람의 몫을 해낼 수 있게 만들어 줄 테니까.'

담호가 그런 생각을 하고 있을 때였다.

한참 설벽린과 더불어 농담을 나누던 만해거사가 문득 정색을 하며 입을 열었다.

"그럼 이제 어떤 방식으로 강 장주와 합류해야 하나, 그게 남은 문제인 게로군."

설벽린은 여전히 미소를 지은 채 말했다.

"문제일 게 뭐가 있겠습니까? 그냥 찾아가서 만나면 되는 거죠."

설벽린은 담호를 향해 한쪽 눈을 찡긋거리며 말을 이었다.

"우선 남문으로 가서 네 강 숙부를 기다리자꾸나."

담호는 설벽린이 어쩔 속셈인지 모르는 채로 고개를 끄덕였다.

"네, 설 숙부의 말씀에 따르겠습니다."

3. 이름은 강만리, 관등은

장사 위지휘사사(長沙衛指揮使司)의 수장 도원겸(陶元兼)은 저도 모르게 마른침을 꿀꺽 삼켰다.

군가의 자식으로 태어나 열일곱 나이에 십장(什長)의 직책을 받은 지 벌써 이십 년, 그리고 위지휘사로 오천육백여 병력의 통수권자가 된 지도 오 년째로 접어들었다.

하지만 그 이십오 년 군 생활 중에서 이런 증패는 처음 접하는 그였다.

그는 눈앞의 증패를 다시 한번 확인한 후 그 증패를 가지고 온 사내의 얼굴을 쳐다보았다.

멧돼지처럼 생긴 자였다.

사내의 첫인상은 단순무식해 보였으며, 아무리 살펴봐도 게으르고 재주 없어 보이는 인물이었다. 도저히 옥새의 낙인이 새겨진 증패를 가지고 다닐 만한 자가 아니었다.

그러나 증패의 뒷면에는 황제행보(皇帝行寶)라는 글자가 선명하게 새겨져 있었다. 도지휘사를 수행하면서 몇 차례 본 적이 있었으며, 도원겸이 위지휘사로 임명하는 임명장에도 찍혀 있었던 글자이기도 했다.

원래 황제의 옥새는 일곱 개였다. 그중 세 개는 황제행새(皇帝行璽), 황제지새(皇帝之璽), 황제신새(皇帝信璽)

라 하여 실무, 내치(內治)에 사용하는 것으로 각각의 용도에 따라 다르게 사용되었다.

그 용도는 다음과 같았는데, 황제행새는 책봉 및 논공행상을 할 때 사용하고 황제지세는 칙서를 반포할 때 사용하며 황제신새는 군사적인 업무, 소집이나 동원령을 내릴 때 사용한다.

이른바 황제삼새(皇帝三璽)와 달리 천자삼새(天子三璽)는 외교나 의례에 사용하는데, 천자행새(天子行璽)는 조공국의 왕이 즉위했을 때 황제가 공식적으로 책봉하거나 조공국의 왕에게 상을 내릴 때 사용한다.

천자지새(天子之璽)는 하늘에 제사를 올릴 때 사용하고 천자신새(天子信璽)는 대외 병력의 동원, 번국(蕃國)을 소집할 때 사용한다.

그리고 마지막 하나 남은 옥새가 바로 전국옥새(傳國玉璽)로, 진시황이 만든 이후 역대 군왕의 손에서 손으로 전해지는 옥새였으며 그 옥새를 가지고 있어야만 비로소 진명천자(眞命天子)로 인정받을 수 있었다.

도원겸은 황제행보의 새인(璽印)을 내려다보면서 마른 입술을 핥은 후 천천히 입을 열었다.

"그래서, 제게 원하시는 게 무엇이십니까?"

멧돼지처럼 생긴 사내, 강만리는 무뚝뚝하고 사무적인 어조로 대답했다.

"장사 위지휘사사의 군대를 악양부로 이동했으면 하오."

"무슨 일로?"

"그건 말씀드릴 수 없소이다."

"으음."

도원겸은 난감한 표정을 지으며 다시 한번 증패를 내려다보았다.

증패의 앞면에는 '이 패를 가지고 있는 자를 무림포두에 임명하며, 이 나라의 군관은 그에게 모든 편의를 제공하고 지시에 따르라'라는 내용의 글귀가 새겨져 있었다.

황제의 명이었으니, 당연히 그 글귀대로 이 무림포두라는 자의 지시를 따라야 했다.

'무림포두는 또 뭐란 말이냐?'

도원겸은 속으로 투덜거리면서도 겉으로는 최대한 예의를 갖춰 말했다.

"병력의 이동은 그저 동네 산책이나 앞마을 놀러 가는 행동처럼 간단하게 이뤄지는 것이 아닙니다. 특히 지금처럼 전 병력이 움직이려면 도지휘사의 승인을 받아야 하고 군량(軍糧)을 비롯한 보급 체계를 확실하게 갖춰야 합니다. 오늘 당장 이동하라고 해서 이동할 수 있는 게 아닙니다. 특히 오천육백여 병력을 일시에 움직이려면 말입니다."

정중하게 말하기는 했지만 결국 강만리의 지시에 따를 수 없다는 완곡한 거절의 내용이었다.

그러나 강만리는 여전히 무심한 얼굴로 딱딱하게 말했다.

"도지휘사에게는 이 증패를 내보이시오. 군량은 내가 책임지겠소. 그러니 오늘이 아니라 지금 당장 전 병력을 악양부로 이동시키시오. 이건 부탁이 아니라 명(命)이오."

'허!'

하마터면 헛웃음이 터져 나올 뻔했다.

도지휘사야 그렇다 치더라도 오천육백의 군량을 책임지겠다니, 도대체 그게 말이 될 법한 이야기이던가.

그들이 하루 세 끼 식사를 비롯해 숙식에 필요한 비용은 아무리 적게 잡아도 은자 천 냥이 들었다.

그들이 주둔하고 있는 이곳 위소(衛所)에서 악양부까지는 이삼 일 거리, 이틀이면 이천 냥, 사흘이면 삼천 냥이 소요되었다.

그리고 악양부를 통과했다가 다시 장사로 돌아오는 것까지 생각한다면 열흘 정도의 행군이었으니, 숙식만으로 은자 만 냥이 필요했다.

거기에 말을 먹이고 재우는 비용, 각종 보급품과 소모품 등의 잡비까지 합치면 최소 만삼천 냥 정도의 비용이 발생하는데, 예비비까지 합치면 대략 은자 만오천 냥은 있어야 가능한 일이었다.

말이 간단해서 은자 만오천 냥이지, 이 시대 일반 병졸의 월봉이 은자 한 냥 오십 전이고, 위지휘사사의 월봉도 채 은자 백 냥이 안 되는 실정이었다.

일개 개인이 턱! 하고 아무렇게나 탁자 위에 내던질 만한 금액이 절대 아니었던 것이다.

그런데 그 일이 일어났다.

"이 정도면 되겠소?"

강만리는 품에서 전표 다발을 꺼내 그중 서너 장을 아무렇게나 탁자 위에 내던졌다.

도원겸은 눈을 가늘게 뜨고 전표에 적힌 액수를 확인했다가 이내 그의 눈이 휘둥그레졌다.

'만 냥짜리 전표?'

저도 모르게 꿀꺽 소리와 함께 목젖이 꿈틀거렸다.

나름대로 고위직이라 할 수 있는 위지휘사 생활을 오년째 하고 있었지만 은자 만 냥짜리 전표는 처음 접하는 그였다.

아니, 오천 냥짜리 전표도 몇 번 본 적이 없던 까닭에 도원겸은 본능적으로 저 전표들이 위조일 가능성이 크다고 생각했다.

그는 살짝 떨리는 손으로 전표를 집어 들고 낙관을 확

인했다. 이른바 삼대전장(三大錢莊)이라 불리는, 강호에서 가장 유명하고 신용도가 높고 지점 수가 많은 전장 중 하나인 대륙전장의 낙관이었다.

'틀림없는 대륙전장의 전표다. 낙관은 물론 고액권 전표에만 적혀 있는 친필 서명까지 확실하다.'

도원겸의 손에 들려 있는 것을 제외하고, 탁자 위에는 그런 대륙전장의 전표가 세 장이 더 있었다. 도합 은자 사만 냥이라는 거액이 아무렇게나 뿌려져 있는 것이다. 무려 삼만 병력의 한 달 치 월봉에 가까운 거액.

강만리는 여전히 무뚝뚝한 어조로 말했다.

"이 정도면 필요한 경비와 군량은 충분히 조달할 것이오. 아, 마차 한 대가 필요하니 그것도 사시오. 그리고 남는 돈은 도 위지휘사의 용돈으로 사용하시구려."

'마차?'

강만리의 느닷없는 주문이 마음에 걸렸지만 그보다 그의 뒷말이 더 크게 도원겸의 마음을 흔들어 놓았다.

도원겸의 머리가 빠르게 회전했다. 아무리 적게 잡아도 은자 이만 냥은 족히 남았다.

세상에, 이만 냥의 용돈이라니!

도원겸은 다시 마른침을 꿀꺽 삼키고는 진지한, 그리고 탐욕에 이글거리는 눈빛으로 강만리를 바라보며 물었다.

"분명 이번 행군에 대한 책임을 지시는 겁니다?"

"물론이오."

강만리는 증패를 들어 보이며 말했다.

"이 증패와 이 증패를 하사하신 분께서 책임지실 것이니 도 위지휘사는 염려하지 않으셔도 되오."

일순 도원겸은 저도 모르게 움찔거렸다.

증패를 하사하신 분이라면 곧 황제를 가리키는 것, 황제가 보증을 서는 일이니 어찌 뒤를 걱정할 필요가 있을까.

도원겸은 고개를 끄덕이며 말했다.

"알겠습니다. 그럼 지금 당장 전 병력을 움직이겠습니다."

"고맙소. 느닷없는 이야기를 들어줘서."

"한 가지 묻고 싶은 게 있습니다만."

"말씀하시오."

"아직 대인의 성명과 정확한 관등을 듣지 못했습니다."

강만리의 얼굴에 처음으로 표정의 변화가 생겼다. 그는 희미한 미소를 지으며 입을 열었다.

"이름은 강만리, 관등은 무림포두요."

* * *

'무림포두라는 게 있을 리가 있나?'

말고삐를 잡아당겨 속도를 늦춘 도원겸은 힐끗 강만리

를 돌아보며 속으로 중얼거렸다.

'어쩌면 감찰어사(監察御史) 가능성이 크다.'

감찰어사는 옛 어사대(御史臺), 현 도찰원(都察院)에 소속된 관등으로 각 성(省)의 관리의 규찰과 탄핵을 담당하는 관리였다.

비록 정칠품에 해당하는 하급 관리라 할 수 있었지만, 심지어 총독까지 탄핵할 수 있다는 권한을 지닌 까닭에 그 무형의 지위는 정이품 이상으로 여겨지고 있었다.

도원겸은 다시 고개를 갸웃거렸다.

'아니, 감찰어사는 일반적으로 관리들을 감찰하고 조사하지 않던가? 군(軍)과는 아무런 상관이 없을 텐데?'

거기까지 생각한 도원겸은 그제야 이해가 간다는 듯 다시 고개를 끄덕였다.

'그렇군. 그러니까 무림포두라는 건 감찰어사가 다루지 못하는 군과 무림까지 모두 감찰하고, 비리를 조사하는 직책인 모양이로구나. 무림포두라는 직책을 지금껏 단 한 번도 들어 본 적이 없으니, 아마도 이번에 새로 신설된 것 같기도 하고.'

도원겸은 강만리를 힐끔거리며 그렇게 결론을 내렸다.

한편 강만리는 슬쩍 말고삐를 잡아당겨 도원겸과 보조를 맞췄다. 태연자약한 표정과는 달리 그의 가슴은 크게 두근거리고 있었다.

'허어, 이게 진짜로 먹힐 줄이야.'

황제가 하사한 증패를 사용한 건 이번이 처음이었다.

물론 증패에는 모든 군관에게 지시를 내릴 수 있다는 내용의 글이 적혀 있기는 했지만, 그렇다고 진짜 이렇게 위지휘사사 오천육백 병력을 마음대로 움직일 수 있을 거라고는 확신하지 못했다.

반신반의의 마음으로 장사 인근에 위치한 위소를 찾았다가 이렇게 엄청난 결과를 끌어낸 강만리의 심정은 살짝 두렵기까지 했다.

'내 마음대로 군대를 움직일 수 있다는 건 엄청난 권한이자 권력이다. 하지만 그렇다고 해서 마음대로 움직였다가 자칫 역모를 꾀한다는 오해를 줄 수도 있다.'

군을 움직여 저 악양부 남천로의 세 겹 포위망을 뚫는다는 건 다급하게 떠올린 계책이었다.

상황이 상황인지라 지금으로서는 최고의 계책일 수도 있겠지만 두 번 다시 사용하기는 어려운, 기억 속 저편으로 봉인해야 할 계책이기도 했다.

강만리는 그렇게 생각하며 주위를 둘러보았다. 새삼 절로 감탄이 터지는 광경이었다.

'그나저나 대단한 위세다. 겨우 일만 명도 안 되는 숫자로 십만 대군의 위용을 느끼게 만들다니.'

아닌 게 아니라 오천육백의 병력이 오(伍)와 열(列)을 맞춰서 관도를 따라 당당하고 위세 등등하게 행군하는 모습은 압도적인 광경이었다.

관도를 오가는 행인들은 물론 마차나 수레도 황급히 길을 비켜 주었고, 심지어 무림인들조차 병장기를 거두고 한쪽으로 비켜서서 군대가 지나가기를 기다렸다.

행인들 사이에서 '이거 전쟁이라도 난 건가?' 하고 수군거리는 소리가 들려오기도 했지만, 다들 감탄의 눈빛으로 위지휘사사의 행군을 지켜보았다.

강만리는 왠지 모르게 어깨가 으쓱거려졌다.

하지만 그는 곧 그렇게 살짝 들뜬 기분을 가라앉히며 도원겸에게 말을 건넸다.

"마차에서 잠시 쉬겠소."

"그렇게 하십시오."

도원겸의 목소리를 뒤로하고 강만리는 말머리를 돌려 행렬 후미에 있는 마차로 말을 몰았다. 그 뒷모습을 보던 도원겸이 고개를 갸웃거리며 중얼거렸다.

"한 대의 마차를 준비하라는 게 자신이 휴식을 취하기 위해서였었나?"

알 수 없는 일이었다.

마차 내에서 휴식을 취할지 아니면 옷을 벗고 용두질을 할지, 아니면 공무(公務)에 필요한 서류 작업을 할지는 전혀 알 수 없었다.

'신경 쓰지 말자.'

도원겸은 고개를 휘휘 내저으며 시선을 앞으로 돌렸다.

'그저 최대한 빨리, 그리고 아무 일 없이 악양부를 통과했다가 돌아오면 되는 것이니까.'

그런 도원겸의 결심이 오천육백의 병졸들에게도 전해졌는지 행군을 시작한 지 사흘째 되던 날, 강만리와 장사위지휘사사의 병력은 생각보다 빠르게 악양부 남문에 당도했다.

10장.

닥쳐라

도원겸은 칠절 노인의 뒤쪽, 남천로 안쪽을 바라보았다.
한참 싸움이 벌어지고 있다고 하기에는 너무나도 조용해서,
외려 개미 한 마리 살지 않는 동네처럼 느껴질 정도였다.

1. 악양부 남문

이날 남문을 지키는 책임자는 악양부 관아에 소속된 포두 호월방(胡月方)이라는 자였다.

전날 밤 늦게까지 술을 마시고 깨자마자 바로 남문으로 달려온 까닭에 그는 장사 위지휘사사 소속 오천육백 병력의 이동을 전혀 모르고 있었다.

그런 상황에서 느닷없이 한 무리의 군대가 관도를 따라 성문으로 몰려들자 순간적으로 온갖 괴상망측한 생각이 다 떠올랐다.

'전쟁인가? 아니면 역모인가? 그것도 아니면 우리 지부 대인께서 무슨 나쁜 일을 저질러 잡으러 온 걸까?'

가슴이 두근거리고 식은땀이 흘렀다. 등골이 서늘한 게 마치 고뿔이라도 걸린 듯했다.

일직선으로 밀려들듯 다가오던 수천의 군대는 성문에서 약 일마장(一馬場:약 400m) 정도 떨어진 곳에서 행군을 멈췄다.

그리고 한 필의 말을 탄 병사가 먼지를 일으키며 달려왔다. 성문을 통과하기 위해 길게 줄을 서고 있던 백성들이 화들짝 놀라 양옆으로 흩어졌다.

호월방을 따라는 포졸들은 저도 모르게 두 손으로 창을 힘껏 쥐었다. 단숨에 호월방 앞까지 달려온 병사는 말에서 내리지도 않은 채 큰 소리로 외쳤다.

"도원겸 위지휘사께서 이끄는 장사 위지휘사사의 오천육백 병력이 악양부 남쪽 성문을 통과하려 하니 어서 문을 여시오!"

원래 성문은 오가는 백성들의 통행은 물론 마차나 수레가 원활하게 이동할 수 있게끔 한쪽 문만을 열어 두는 법이었다.

하지만 이렇게 대규모의 병력이나 집단이 움직이게 되면 양쪽 문을 활짝 열어야 하는데, 이게 또 호월방 마음대로 할 수 있는 일이 아니었다.

호월방은 떨리는 목소리로 말했다.

"공문을 보여 주시오."

병사가 서슬퍼런 목소리로 외쳤다.

“방금 말씀드리지 않았소! 도원겸 위지휘사께서 직접 통솔하시는 부대라고 말이오!”

“아니, 그건 알겠소이다만…… 이쪽도 법령과 규칙이라는 게 있어서 공문을 확인하지 않으면 함부로 성문을 모두 열 수가 없음을 이해해 주시기 바라오.”

“군(軍)이 움직이는데 관(官)에게 공문을 보여 줘야 한다니, 생전 처음 들어 보는 소리요! 잔말 말고 어서 성문을 여시오!”

이쯤 되면 호월방도 나름대로 오기 같은 게 생길 법했다. 어디까지나 군(軍)과 관(官)의 소속은 서로 달라서 황하(黃河)의 물길이 장강(長江)을 침범하지 않는 것처럼 예의를 지키고 서로를 존중해야 하는데, 지금 이 병사는 그 선을 넘고 있었다.

하지만 호월방은 일마장 밖의 수천 군대를 보고는 생기려던 오기를 억지로 집어넣으며 조심스레 말했다.

“그렇게 소리만 치시지 말고 공문을 보여 주시오. 공문만 확인하면 곧바로 성문을 활짝 열어 드릴 터이니 말이오.”

호월방은 최대한 정중하게 말했지만 소용이 없었다. 병사는 다시 악을 쓰듯 외쳤다.

“정말 말이 통하지 않는구나! 귀관의 관등과 이름을 대도록 하라! 내 악양 관아의 통판이나 추관을 찾아가 지금의 무례를 따지도록 할 터이니 말이다!"

'아니, 무례는 지금 누가 저지르고 있는데…….'

호월방은 답답한 가슴을 마구 두드리고 싶었다.

그때였다. 다시 한 필의 말이 흙먼지를 일으키며 빠르게 이곳으로 달려왔다.

'아이쿠!'

호월방은 깜짝 놀라 사색이 되었다.

말을 타고 온 자는 근육질의 돼지를 떠올리게 하는 체격의 중년인이었는데, 가까이 다가온 그는 호월방에게 증패 하나를 던졌다. 황망한 가운데 증패를 받아 든 호월방의 눈이 사발만큼 커졌다.

증패에는 황제의 새인이 새겨져 있었으며, 이 증패를 보는 군관은 모든 편의를 봐주라는 내용의 글이 적혀 있었던 것이다.

근육질의 멧돼지, 강만리는 무뚝뚝하게 말했다.

"급한 용무가 있어서 미처 공문을 받지 못했소만 그 증패로 충분할 것 같구려."

호월방은 연신 허리를 굽실거리며 말했다.

"충분합니다. 충분하고말고요."

그는 두 손으로 증패를 받들어 강만리에게 돌려준 후 포쾌들을 향해 소리쳤다.

"어서 성문을 열어라!"

포쾌들은 창을 거두고 황급히 남은 성문 하나를 열기 시작했다.

구구궁, 하는 소리와 함께 천천히 성문이 열렸다. 지켜보던 병사가 "흥!" 하고 코웃음을 친 뒤 대기하고 있던 부대로 돌아갔다.

강만리는 성문이 열리는 동안 무심한 눈길로 주변을 둘러보았다. 어느 한순간 그의 눈빛이 희미하게 반짝였다.

'역시.'

강만리의 입가에 희미한 미소가 스며들었다.

미처 계획을 말해 주지도 않았다. 따로 연락을 주고받지도 않았다.

애당초 강만리조차도 제대로 계획은 세운 게 아니었으니까. 군대를 이용해 보자는 구상을 제외한다면 모든 게 임기응변에 가까웠으니까.

그러니 따로 말해 주거나 전해 줄 계획이라는 게 없었다.

하지만 강만리는 믿고 있었다. 주변 소문을 듣거나 흘러가는 상황만 보고서도 강만리가 무슨 생각을 하는지, 무슨 계획을 세워 어떻게 진행하려는지 눈치챌 거라고 생각했다.

그리고 설벽린은 강만리의 믿음에 부응하듯 때맞춰 저

렇게 행군을 구경하는 인파 속에서 모습을 드러낸 것이다. 강만리를 향해 환하게 웃으며 손을 흔들면서.

'이런.'

강만리의 얼굴이 일그러졌다.

'그렇게 티가 나게 아는 척하면 어쩌자는 건데?'

강만리는 힐끗 설벽린과 함께 서 있는 담호와 만해거사를 확인한 후 고개를 돌렸다.

때마침 성문이 모두 열리고 오천여 병력이 다시 움직이기 시작했다.

"진(進)! 군(軍)!"

선두의 병사가 우렁차게 소리쳤다. 오천육백의 병졸들이 동시에 발을 내디뎠다.

각을 지어 내딛는 발걸음 소리가 진각(震脚)처럼 쿵쿵 울렸다. 마치 작은 지진이라도 난 듯했다.

장사 위지휘사사의 군대는 한 치의 어긋남도 없이 오와 열을 맞춰 성문을 통과했다. 그 위세가 하늘을 찌를 듯했고 군기(軍氣)는 서리서리 사방으로 뻗쳤다.

성문 안팎에서 지켜보던 사람들이 박수를 치며 환호했다. 감격에 겨워 소리치는 이들도 있었고, 갑자기 끓어오르는 애국심에 눈물을 흘리는 자들도 있었다.

오천육백의 병졸들이 성문을 통과하는 것만으로도 제법 오랜 시간이 소요되었다. 호월방은 일 년의 세월을 한

꺼번에 맞은 듯 순식간에 늙고 초췌해졌다.

'젠장! 새벽에 병가(病暇)를 냈어야 하는데.'

호월방이 내심 그렇게 투덜거릴 때였다.

"와아!"

갑자기 천둥과도 같은 함성이 터져 나왔다.

호월방이 깜짝 놀라 고개를 돌렸다. 성문 주변으로 비가, 그것도 동전의 비가 쏟아지고 있었다.

병졸들이 모두 통과하고 후미에 있던 마차가 막 성문을 지나치려는 순간이었다. 강만리가 갑자기 허공을 향해 동전(銅錢)을 뿌렸다.

수백 개의 동전이 햇빛에 반짝이며 허공 높이 솟구쳤다가 사방으로 흩어져 떨어졌다.

행군을 구경하던 인파들이 그 동전들을 줍기 위해서 서로 앞다퉈 달려들었다.

"와아!"

"내 거야!"

"줍자!"

"건드리지 마! 모두 내 거니까!"

사람들은 저마다 고함을 내지르며 땅에 떨어진 동전을 줍기 위해 필사적으로 몰려들었다. 성문 일대는 삽시간에 아비규환(阿鼻叫喚)의 현장으로 변했다.

놀란 병사들과 관졸들이 그들을 막으려 했지만 소용이

없었다.

그 무질서한 혼돈과 파괴적인 혼란 속에서 설벽린과 만해거사, 그리고 담호는 아무도 모르게 움직여 마차에 오르는 데 성공했다.

강만리는 고개를 끄덕인 후 호월방에게 은원보 하나를 던졌다. 마침 몰려드는 인파를 제지하느라 정신이 없던 호월방은 하마터면 그 은원보를 받지 못할 뻔했다.

"술값이나 하시게."

마차가 성문을 통과하는 걸 확인한 강만리는 그 말을 남기고 성문 안으로 말을 몰았다. 호월방은 백 냥짜리 은원보를 입에 가져가 깨물어 보고는 황급히 그 뒷모습을 향해 허리를 숙였다.

숙취를 무릅쓰고 나오기를 정말 잘했다는 생각에, 허리 숙인 그의 입이 길게 찢어졌다.

그런 호월방의 귀에는 동전 몇 푼을 가지고 다투며 악다구니를 쓰는 사람들의 목소리가 전혀 들리지 않았다.

2. 남천로(南天路)

"무슨 소란이더냐?"

도원겸은 후미 쪽에서 들려온 고함과 함성에 살짝 놀란

듯 부관에게 물었다. 곧 상황을 파악하고 돌아온 부관이 공손하게 말했다.

"강 대협께서 동전을 뿌린 모양입니다. 그걸 주우려고 몰려든 사람들로 인해 벌어진 소란입니다."

도원겸이 가볍게 눈살을 찌푸렸다.

"동전을 뿌려? 왜?"

"언뜻 듣기로는 이 행군을 축하하고 환호하는 이들에게 내리는 작은 보답이라고 한 것 같습니다. 강 대협께 직접 들은 이야기는 아니라서 확실하지는 않습니다만."

"흠."

도원겸은 고개를 갸웃거렸지만 또 그럴 법하다는 생각이 들기도 했다.

사실 고관대작들이 행차할 때 더 큰 함성과 환호성을 듣기 위해서 시종들이 사방에 동전을 뿌린다는 이야기는 그리 낯설지 않았으니까.

북경부에서도 몇 번 본 적이 있으며, 심지어 호광성 도지휘사의 행렬 때도 그렇게 동전을 뿌려 백성들의 환호성을 유발하게 했으니까.

'게다가 그자의 돈 쓰는 모습을 보면 그깟 동전 아끼지 않고 마구 뿌렸을 터.'

동전 한두 푼에 목숨을 걸고 싸우는 서민들의 평소 모습을 떠올리면, 후미에서 들려오는 소란이 왜 저리로 대단한지 알 것 같았다.

"하지만 그렇다고 해서 저 소란에 가려져 진군의 함성이 들리지 않아서야 쓰겠나?"

도원겸은 가볍게 혀를 찬 후 부관에게 말했다.

"북을 울리고 함성을 내지르게 하라. 저 소란 소리가 내 귀에 들리지 않도록 말이다."

"존명!"

부군이 돌아갔다. 곧바로 북소리가 울려 퍼졌다.

둥! 둥! 둥! 둥!

웅장한 북소리가 울리는 가운데 선두에서 군기(軍旗)를 들고 있던 병졸들이 최대한 높이 군기를 치켜들면서 한껏 그 위용을 뽐냈다.

대로(大路)의 행인들은 놀라 황급히 피했고, 길을 막고 있던 수레와 마차들도 빠르게 움직여 군대가 통과할 수 있도록 길을 열어 주었다.

그렇게 장사 위지휘사사의 병졸들이 위풍당당하게 남천로에 접어들 무렵, 후미에 있던 강만리가 뒤늦게 말을 몰아 도원겸의 곁으로 다가왔다.

도원겸이 너털웃음을 흘리며 말했다.

"거액을 뿌리셨나 봅니다."

강만리는 무뚝뚝한 어조로 말했다.

"그저 동전 쪼가리들이오. 그걸로 저 정도 함성을 살

수 있다면 천 번, 만 번을 뿌릴 수 있지."

'거만한 자라니까.'

도원겸이 속으로 투덜거릴 때였다. 갑자기 행군이 멈췄다.

도원겸의 시선이 전면으로 향했다. 무림인으로 보이는 십여 명의 사내들이 병장기를 휴대한 채 남천로 대로를 가로막고 있었다.

도원겸의 눈살이 찌푸려졌다. 강만리도 눈살을 찌푸리며 중얼거렸다.

"허어. 세상에, 장사 위지휘사사의 행군을 가로막는 자들이 있을 줄이야. 간담(肝膽)이 배 밖으로 튀어나왔나 보군."

도원겸의 얼굴이 딱딱해졌다.

확실히 이건 위지휘사사, 아니 더 나아가서 군 전체를 모독하는 일과 다를 바가 없었다.

선두의 병사가 크게 외쳤다.

"장사 위지휘사사의 행군이다! 어서 길을 비키지 않느냐?"

그러자 모여 있던 무림인들 중 한 명의 노인이 앞으로 걸어 나오며 포권의 예를 취했다.

"나라를 지키고 백성의 안위를 살피느라 얼마나 노고가 많으시오? 악양 백성들을 대신하여 그 노고에 감사드리는 바이외다."

그는 차분하고 조용한 어조로 말했는데 놀랍게도 약 반 마장 정도 거리가 있는 도원겸과 강만리의 귀에는 물론, 오천육백 병력의 후미를 지키고 있는 병졸의 귀에도 똑똑하게 들렸다.

강만리는 진심으로 눈살을 찌푸렸다.

'상당한 내공을 지닌 늙은이다. 저 금해가의 숙객이라는 자일까? 어쩌면 나이로 보건대 태극천맹의 노기인일 가능성도 있겠군.'

강만리는 그리 생각하며 노인의 면면을 훑어보았다.

유 노대와 엇비슷한 연배로 보이는 육십대 초중반의 늙은이었다. 그럴싸한 지팡이만 쥐면 방금 산에서 내려온 도사나 신선이라는 생각이 들 정도로 선풍도골의 풍모를 지녔다.

탐스러운 수염과 새하얀 눈썹, 그리고 온화해 보이는 눈동자에서는 문득문득 예리하고 매섭게 빛나는 안광이 새어 나왔다. 노인답지 않게 키는 크고 어깨는 넓고 탄탄한 근육질의 몸매를 지닌 자였다.

언뜻 봐도, 자세히 뜯어 봐도 절대 만만치 않은 실력을 지닌 상승 고수라는 사실을 그 외양부터 확인할 수 있었다.

선두의 그 목소리 큰 병사도 노인이 풍기는 기도와 기세에 눌린 듯 흠칫하며 한 걸음 뒤로 물러났다. 그러나 병사는 곧바로 자신의 실책을 깨닫고는 큰 소리로 외쳤다.

"장사 위지휘사사의 앞길을 막고 있는 자는 곧 자신의 신분을 고하라!"

노인은 여전히 정중한 자세를 유지한 채 입을 열었다.

"악양 금해가에 몸을 위탁하고 있는 칠절(七絕)이라는 늙인이외다."

'역시, 금해가의 숙객이군그래.'

강만리는 눈빛을 빛내며 무림인들을 둘러보았다. 십여 명의 무림인들은 넓은 남천로를 좌우로 가로막은 채 우뚝 서 있었다.

그뿐이 아니었다.

남천로 주변의 건물들, 소로(小路)와 골목길에서도 몸을 숨긴 채 이 상황에 집중하고 있는 무인들의 기척이 흘러나오고 있었다. 대충 헤아려도 수십 명 이상의 무인들이 숨어 있었다.

'안가 주위로 세 겹의 포위망이 펼쳐졌다고 했지? 그럼 이게 그 세 겹 중 가장 외곽에 있는 포위망이겠구나. 그리고 본인을 칠절이라 밝힌 저 노인네가 이 포위망의 책임자일 테고.'

강만리는 주변에 숨은 채 포위망을 완성하고 있는 숙객들의 위치를 확인하면서 머리를 굴렸다.

'서 있는 자세나 대오를 맞춘 모습이나 제대로 된 단체 훈련을 받은 자들은 아닌 것 같다. 그렇다면 이 세 번째 포위망을 결성하고 있는 이들은 모두 금해가의 숙객일 가능성이 농후하겠다.'

포위망을 결성하고 협력하여 적을 막거나 공격하려면 그만한 단결력이 필요한 법이었다. 그러니 하나의 포위망에 태극천맹의 무사와 숙객을 섞는 건 어리석은 짓, 당연히 포위망마다 같은 부류의 인물들이 배치되었을 것이다.

'그럼 안쪽 포위망들은 금해가 소속의 무사들, 그리고 태극천맹 무사들이 하나씩 맡고 있겠군.'

강만리가 칠절이라는 노인을 보고 거기까지 추측하고 있을 때였다. 칠절이라는 노인이 병사가 아닌 도원겸에게로 시선을 향하며 입을 열었다.

"무례하고 죄송한 부탁입니다만, 지금 이곳은 무림인들의 싸움이 벌어지고 있는 험한 곳입니다. 그러니 모쪼록 위지휘사사의 군대에 약간의 흙먼지라도 묻지 않도록 남천로를 우회하심이 어떨까 합니다."

도원겸은 칠절 노인의 뒤쪽, 남천로 안쪽을 바라보았다. 한참 싸움이 벌어지고 있다고 하기에는 너무나도 조용해서, 외려 개미 한 마리 살지 않는 동네처럼 느껴질 정도였다.

"그대의 말과는 사뭇 다른데?"

도원겸의 말에 칠절 노인, 강호의 동도들이 부르는 별호로 치자면 칠절우사라는 노인이 담담하게 말했다.

"한 차례 격돌을 마치고 지금 서로 물러나 대치하는 중입니다. 언제 또 피바람이 불어닥칠지 모르는, 그야말로 폭풍전야라고 할 수 있는 상황입니다."

"흠."

도원겸은 턱을 매만졌다. 그의 얼굴에 난감한 표정이 언뜻 떠올랐다.

무림인들이 무례하고 괴팍하며 성질이 지랄 같아서 황법(皇法)과 국법(國法)을 손톱의 때보다도 하찮게 여긴다는 건 익히 잘 알고 있었다.

또 그런 무뢰한 주제에 무공은 믿을 수 없을 정도로 뛰어나서 병졸 백 명으로도 한 명의 절정 고수를 제대로 상대하기 힘들다고 했다.

그런 무림인들이 생사의 전투를 벌이고 있다 하니, 확실히 무작정 진군하기가 께름칙하기는 했다. 괜히 그 난리 통에 휘말리느니, 남천로 일대를 조금 돌아서 가는 것도 그리 나쁘지 않은 선택이었다.

그때였다.

강만리가 칠절우사를 바라보며 냉엄한 목소리로 말했다.

"닥쳐라."

3. 선택

"급보입니다! 장사 위지휘사사의 오천육백 병력이 지금 막 악양부 남문에 당도했다는 소식입니다!"

"급보입니다! 장사 위지휘사사의 수장은 도원겸이라는 자로, 평소 엄격하게 군율을 지키고 기강을 세우는 자라고 합니다!"

"급보입니다! 남문이 열리고 있는 중입니다! 남문의 현 수문장은 호월방이라는 포두로, 청월관(靑月館)에서 세 명의 기녀를 옆에 끼고 어젯밤 늦게까지 술을 마셨다고 합니다!"

"급보입니다……."

쉬지 않고 계속해서 급보가 쏟아져 들어왔다.

초일방은 한숨을 쉬며 총관에게 물었다.

"지부 대인과는 연락이 되었느냐?"

지부는 곧 악양부를 다스리는 최고 책임자를 가리키는 직책으로, 현 악양 지부는 초일방이 물심양면 후원하여 그 자리에 오른 인물이었다. 그러니 초일방의 부탁이라면 반드시 들어줘야 할 빚이 그에게 있었다.

총관이 허리를 숙이며 말했다.

"연락이 되었습니다. 지부 대인께서는 곧 도지휘사께 연락하여 어찌 된 영문인지 파악하시겠다고……."

"너무 늦다!"

초일방이 짜증을 내며 소리쳤다. 총관의 허리가 더욱 깊숙하게 숙여졌다.

"길이야 터 주면 그만이다."

초일방은 입술을 깨물며 중얼거렸다.

"하지만 문제는 왜 갑자기 장사에 있던 위지휘사사가 움직였느냐 하는 점이다. 그걸 알아내기 전에는 쉽게 터 줄 수가 없는 법……."

상대는 황제의 군대고, 나라를 수호하는 자들이었다. 그깟 포위망은 얼마든지 풀었다가 다시 짜면 되는 일이다.

번거롭기는 하겠지만 가볍게 생각하면 한없이 가벼운 일이었다. 어쩌다 우연히 벌어진 상황이라고 간단하게 치부할 수도 있었다.

그러나 황제의 군대는 결코 함부로 움직이지 않았다. 대규모의 군대가 움직이면 나라가 흔들리고 민심이 요동친다. 언제든지 역모가 발생하고 항명이 이뤄질 수 있기에 군대는 쉽게 움직일 수 없었다.

군법에 정해진 바에 따라 칙령과 칙서가 오가야 하고,

오로지 그 지시의 범위 내에서 이동 경로가 정해진다. 산책 나가듯 제멋대로 주둔지를 벗어나 다른 곳으로 이동할 수가 없는 게 바로 군대였다.

그런 장사 위지휘사사가 악양 지부에게 아무런 연락도 하지 않은 채 갑자기 남문을 통과하여 남천로를 지나 악양성을 통과하려 한다는 건, 확실히 쉽고 간단하게 생각해서는 안 되는 일이었다.

우연인지 아니면 필연인지는 아직 정확하게 알 수 없지만, 어쨌든 남천로에는 저 황계의 안가가 자리 잡고 있었다. 그리고 그 안가에는 정체를 알 수 없는 자들이 숨어 있었다.

'평범하지가 않아. 뭔가 뒤에 감춰진 게 있어. 그렇지 않고서야 이렇게 냄새가 날 리가 없지.'

초일방은 잠시 생각하다가 말했다.

"각 포위망의 책임자들에게 전서응을 날려라. 지금부터 하는 내 말을 그대로 따르라고 말이다."

총관은 이마가 바닥에 닿을 정도로 허리를 숙인 채 대답했다.

"말씀만 하십시오, 가주."

"그러니까……."

초일방의 입이 천천히 움직였다.

* * *

"닥쳐라."

나지막한 목소리였다.

하지만 강만리의 음성은 조금 전 칠절우사의 그것처럼 사방으로 퍼져서, 오천육백 병졸 모두가 똑똑히 들을 수가 있었다. 그리고 아무도 모르게 마차에 숨어 들어간 세 사람의 귀에도 똑똑히 들렸다.

"호오, 일부러 거칠게 나가시는군."

설벽린은 마치 재미있는 구경이라도 하는 듯 신이 난 얼굴로 소곤거렸다.

"그래야지. 자고로 싸움은 걸고, 흥정은 말리라고 했으니 말이야."

담호가 고개를 갸웃거렸다.

'싸움은 말리고, 흥정은 붙이라는 말이 아니었나?'

제멋대로 옛 격언을 뜯어고친 설벽린은 계속해서 중얼거렸다.

"형님은 아마도 이런 식으로 말할 거야. 천하의 대명대군(大明大軍)이 그깟 무림인들을 두려워해서 발길을 돌리는 일은 결코 없을 거라고 말이지."

담호가 눈을 동그랗게 떴다.

그때였다. 마차 저 밖에서 강만리의 싸늘하고 냉엄한 목소리가 들려왔다.

"무엄하기도 이를 데가 없구나. 감히 그런 망발을 하다니. 그깟 무림인이 두려워서 발길을 돌릴 대명(大明)의 군대가 아니다. 죽음을 눈앞에 두고서도 오로지 앞으로 전진하여 적의 목을 베는 게 바로 대명의 군대인 것이다."

일순 "와아!" 하는 함성이 오천육백 병졸들의 입에서 터져 나왔다. 강만리의 말 한마디로 인해 병졸들의 사기가 하늘에까지 미쳤다.

설벽린을 쳐다보는 담호의 눈이 더욱 커졌다. 설벽린은 어깨를 으쓱거리며 다시 입을 열었다.

"강 형님이 저리 말하시고, 병졸들이 또 저리 좋아하니 위지휘사도 가만있을 수는 없겠지. 당연히 길을 터라, 하고 명령을 내릴 거야."

아니나 다를까.

도원겸은 망설임을 떨치고 배에 힘을 불어넣으며 큰소리로 외쳤다.

"강호의 무뢰한들은 어서 길을 터라! 행여 장사 위지휘사사의 진군을 막는다면 그 죄, 죽음으로 다스릴 것이다!"

"와아."

담호는 저도 모르게 입을 벌렸다.

"설 숙부는 어떻게 그리 잘 아세요?"

천진난만하기까지 한 담호의 물음에 설벽린은 더욱 어깨를 으쓱거리며 입을 열었다. 하지만 만해거사의 목소리가 먼저 들렸다.

"그런 건 어느 정도 경험이 쌓이고 눈칫밥을 먹으면 쉽게 알 수 있는 일이란다. 그러니 너무 감탄하지 말거라. 괜히 네 설 숙부의 허파에 바람만 들어가니까."

설벽린의 뺨이 불룩해졌다. 하지만 이내 그는 만해거사에게로 시선을 돌리며 물었다.

"그럼 이제 어떻게 진행될 것 같습니까, 상황이요."

"뻔하지 않느냐? 막는 쪽은 계속해서 막으려 할 테고, 가려는 측은 그걸 무시하고 들어가려 할 것이다. 그 와중에 싸움이 일어날까? 그건 아니라고 본다. 어쨌든 이쪽은 황명을 받드는 군대이고, 감히 군대를 건드리는 순간 역적으로 몰리게 될 테니까."

만해거사는 힐끗 전면으로 시선을 돌리며 말을 이었다.

"결국에는 막는 쪽에서 물러날 수밖에 없을 것이다. 뭐, 물론 그렇다고 마냥 쉽게 물러나려 하지는 않겠지만."

"흠, 그 정도야 누구나 예측하지 않겠습니까? 그럼 강 형님은 어떻게 하려는 걸까요? 어떻게 우리가 이곳에서 안전하게 도망치도록 유도할까요?"

설벽린이 집요하게 묻자 만해거사는 눈을 가늘게 뜨면서 가볍게 혀를 찼다.

"허어, 진짜 고약한 놈이로구나. 생각 같아서는 당장이라도 널 제자로 삼는다는 말을 철회하고 싶다만……."

만해거사는 힐끗 강만리가 있는 방향으로 시선을 돌리면서 말을 이었다.

"병법(兵法)을 보자면 내가 원하는 곳으로 적이 이목을 집중하고 병력이 모여들게 하는 게 승리의 첫 번째 요인이라고 했다."

담호는 눈빛을 반짝이며 만해거사의 이야기를 들었다.

"강 장주가 비록 병법에 능통하는 않겠지만 그래도 능히 그 정도는 알고 있을 터, 아마도 우리가 빠져나가기 쉽도록 저들의 이목을 다른 곳으로 돌리고 또한 그곳으로 병력이 모여들게 할 것이야. 그러니 우리는 그 순간을 놓치지 말아야 하겠지. 너처럼 엉뚱한 생각을 하다가 기회를 잃으면 큰일이라는 게다."

"아니, 또 왜 갑자기 제게 화살을 돌리십니까?"

설벽린이 투덜거릴 때였다. 행렬 앞쪽에서 도원겸의 쩌렁쩌렁한 목소리가 들려왔다.

"마지막 기회를 주마! 열을 헤아릴 때까지 길을 트지

않는다면, 대명에 대한 반역이라고 여기고 전력을 다해 몰살시킬 것이다! 그대들의 친족은 물론 구족까지, 그리고 그대들이 의탁하고 있다는 금해가와 그 금해가와 관련된 모든 자들까지 잡아다가 효수형(梟首刑)에 처함으로써, 군에 항명한 죄가 어찌 되는지 세상 만민에게 커다란 교훈을 내릴 것이다!"

준엄한 목소리는 게서 끝나지 않았다. 곧바로 도원겸이 수를 헤아리는 소리가 이어졌다.

"하나!"

담호는 침을 꿀꺽 삼키며 귀를 기울였다.

"둘! 셋!"

도원겸이 연달아 수를 헤아리자, 마차 밖의 공기가 삽시간에 바뀌었다. 오천육백의 병졸들이 일시에 뿜어내는 살기가 주변 일대를 가득 메웠다.

"다섯! 여섯! 일곱!"

도원겸은 수를 외치면서 천천히 손을 들었다.

그가 손을 내리는 순간, 위지휘사사의 모든 병졸들이 일시에 공격을 펼칠 것이다. 평소 해 왔던 대로, 십 년 이상 가공의 적을 상대로 끊임없이 연습하고 훈련했던 그대로 활을 쏘고 창을 내지르고 칼을 휘두를 것이다.

그 와중에 얼마나 많은 자의 목숨이 핏물에 잠길지는 아무도 몰랐으나 누구도 개의치 않았다. 결국 최후의 승리는 대명 군대의 것이 될 테니까.

그런 위지휘사사를 상대하는 무림인들의 선택은 과연 무엇일까.

뛰어난 무공과 가공할 무위를 바탕으로, 저 황명에 따라 나라를 지키는 군대와 정면으로 부딪쳐 싸우려 들 건가. 아니면 나라의 백성으로 국법에 따라 물러날 것인가.

"여덟!"

도원겸은 계속해서 수를 헤아리고 있었다.

(무림오적 37권에서 계속)

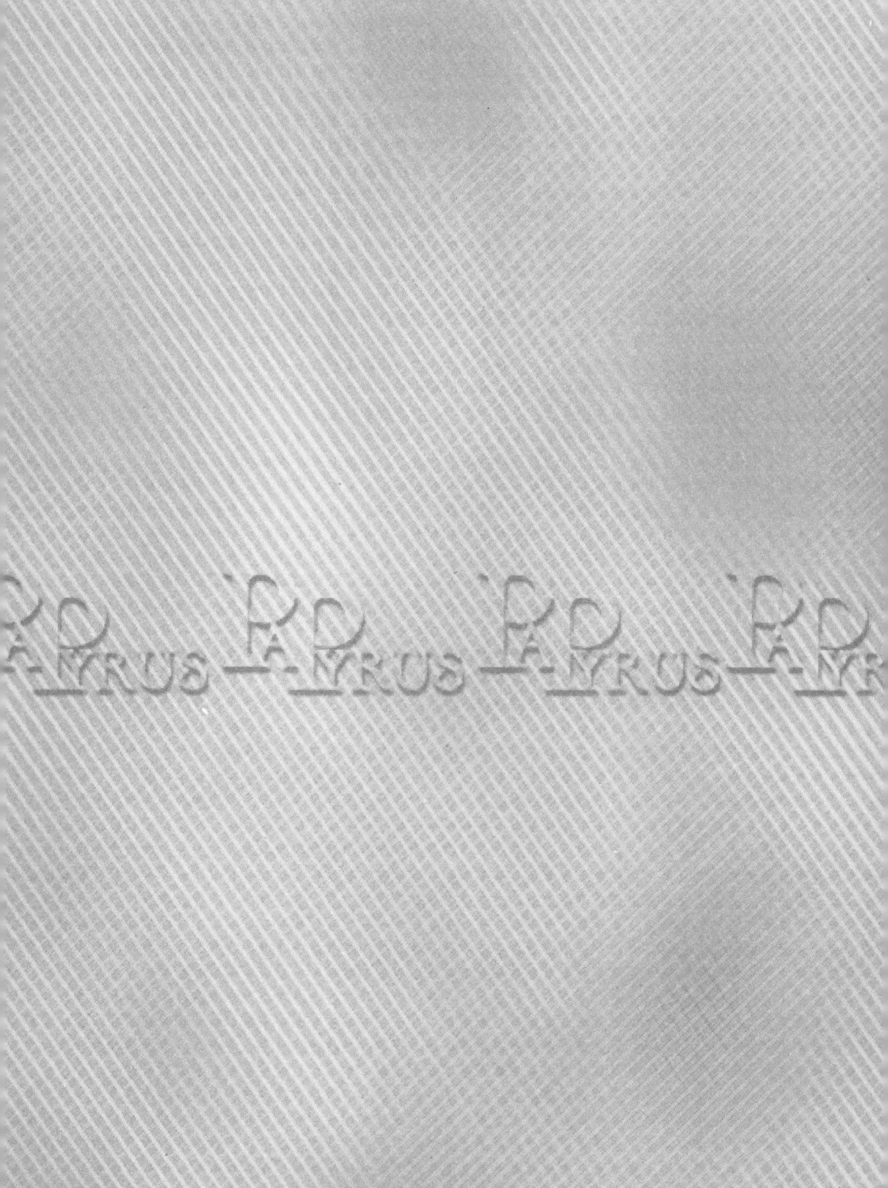